ÉTONNANTS • CLASSIQUES

CARL FRIEDMAN

Mon père couleur de nuit

Traduit du néerlandais par Mireille Cohendy

Présentation, notes, dossier et cahier photos
par AURÉLIEN BELDA,
professeur de lettres

Avec la participation de LAURENT JULLIER,
professeur en études de cinématographie,
pour « Un livre, un film »

Flammarion

La Seconde Guerre mondiale dans la collection « Étonnants Classiques »

AU NOM DE LA LIBERTÉ, *Poèmes de la Résistance* (anthologie)
Alain BLOTTIÈRE, *Le Tombeau de Tommy*
Michel DEL CASTILLO, *Tanguy, Histoire d'un enfant d'aujourd'hui*
Jean-Claude GRUMBERG, *L'Atelier*
Zone libre
PAROLES DE LA SHOAH (anthologie)
Annie SAUMONT, *La guerre est déclarée et autres nouvelles*
ZWEIG, *Le Joueur d'échecs*

Titre original : TRALIEVADER
Éditeur original : Uitgeverij G.A. van Oorschot, Amsterdam

ISBN : 978-2-0813-9831-3
ISSN : 1269-8822
Dépôt légal : juin 2016
Imprimé à Barcelone par: CPI BLACK PRINT

SOMMAIRE

Mon père couleur de nuit

PRÉSENTATION

Carl Friedman, entre journalisme et fiction

Née le 29 avril 1952, Carolina Klop, qui écrira sous le pseudonyme de Carl Friedman, grandit entre Eindhoven, aux Pays-Bas, et Anvers, en Belgique. Très jeune, elle s'intéresse à la Seconde Guerre mondiale, et dès l'âge de quinze ans elle étudie et collectionne des documents qui s'y rapportent. Sans doute son histoire personnelle justifie-t-elle sa grande curiosité pour cette période : résistant, son père fut en effet arrêté peu avant la Libération et interné au camp[1] d'Oranienburg-Sachsenhausen, situé à 30 kilomètres au nord de Berlin, rappelant ainsi le personnage du père dans *Mon père couleur de nuit*. Ses études secondaires achevées, Carolina Klop suit une formation de traducteur-interprète ; elle s'installe à Breda, dans le sud des Pays-Bas, et travaille quelques années à la rédaction du quotidien régional *De Stem*. Sa carrière d'écrivain commence en 1991 avec la publication de *Mon père couleur de nuit*, paru sous le titre *Tralievader* – littéralement, « père derrière les barreaux », en néerlandais. Ce premier roman connaît un succès immédiat ; il est adapté pour la télévision en 1997. Il est traduit dans plusieurs

1. *Camp* : voir lexique, p. 119.

langues, notamment en français en 2001 : le titre choisi évoque l'expression *Nacht und Nebel* (« Nuit et Brouillard »), qui désigne l'ensemble des mesures adoptées en 1941 par les nazis en vue de combattre et de faire disparaître les opposants politiques au régime [1]. Deux ans après *Tralievader*, en 1993, paraît le deuxième roman de Carolina Klop, *Twee koffers vol* (*Une histoire perdue*). Traduit en français en 2003, il raconte le désarroi d'un père qui cherche de manière obsessionnelle des valises qu'il a dissimulées avant la guerre. Comme le précédent, ce texte est porté à l'écran : sorti en 1998, le film de Jeroen Krabbé, *À la recherche du passé*, est récompensé par plusieurs prix. En 1996, Carolina Klop publie son troisième livre, un recueil de trois nouvelles intitulé *De grauwe minnaar* (« L'Amant gris », non traduit en français à ce jour). Parallèlement à sa carrière d'écrivain, elle tient une chronique dans divers quotidiens. En novembre 2001, un premier recueil de ses articles paraît sous le titre *Dostojevski's paraplu* (*Le Parapluie de Dostoïevski*) [2], et un second suit à l'automne 2004, *Wie heeft de meeste joden* (*Qui compte le plus de Juifs*).

---

1. *Nuit et Brouillard* sera aussi repris par Alain Resnais, en 1956, comme titre de son film documentaire sur la déportation.
2. Voir Dossier, p. 132.

Mon père couleur de nuit : à la croisée des genres

Par sa forme et les genres auxquels il emprunte, *Mon père couleur de nuit* rend compte de l'expérience de l'auteur mais aussi des différentes formes de création littéraire qui caractérisent son œuvre. Le récit est structuré en courts chapitres, souvent parfaitement autonomes et organisés autour d'un événement du quotidien. L'art de la romancière repose sur une économie de moyens – un nombre réduit de personnages et de lieux, une action resserrée sur deux ou trois pages –, renforçant l'effet de chute qui vient souvent conclure chaque épisode. C'est par exemple le cas du chapitre « Débile mental », dans lequel la jeune narratrice affuble, sans que son institutrice s'en aperçoive, le personnage qu'elle dessine d'une paire de moustaches, qui se révèlent être celles de Hitler (p. 93). Ainsi *Mon père couleur de nuit* peut-il s'apparenter à un recueil de nouvelles autonomes plus qu'à un roman, puisqu'il est susceptible d'être lu sans tenir compte de l'enchaînement des chapitres. On note d'ailleurs que ceux-ci ne sont pas numérotés, ce qui semble permettre de les lire dans le désordre.

Pour autant, l'histoire s'organise, se construit pas à pas, suivant les itinéraires croisés de la narratrice et de son père Jochel, tiraillé entre passé et présent. Une double chronologie se tisse ainsi tout au long du récit. On assiste à la vie quotidienne dans les Pays-Bas des années 1960 d'un côté ; et aux réminiscences de la Seconde Guerre mondiale de l'autre – des premières persécutions contre les Juifs à la déportation et à la libération du camp par l'Armée rouge[1]. De plus, le style lapidaire[2] de Carl Friedmann, qui privilégie les phrases courtes et incisives, se rapproche de l'écriture journalistique dont elle est familière. Tout se passe donc comme si l'écriture fragmentaire était un moyen privilégié pour rendre compte d'une réalité brutale, difficile à appréhender : celle des camps de concentration nazis qu'a connus son père. *Mon père couleur de nuit*, qui place au cœur de la narration le génocide perpétré par les nazis à l'encontre du peuple juif, est ainsi visiblement empreint d'une dimension autobiographique.

Un roman sur la Shoah[3] : la représentation en question

Penser le génocide

La notion de *génocide* est héritée de la Seconde Guerre mondiale et s'est appliquée *a posteriori* au massacre des Arméniens (1915), à celui des Juifs d'Europe (1941-1945), puis aux massacres plus récents des Cambodgiens (1975) et des Tutsis (1994). Suivant la définition qu'en donne l'acte d'accusation de Nuremberg[4], cette notion désigne « l'extermination de groupes raciaux

1. *L'Armée rouge* : nom donné aux troupes soviétiques. Cette partie du récit se déroule donc entre fin 1944 et début 1945.
2. *Lapidaire* : court, concis.
3. *Shoah* : voir lexique, p. 121.
4. *Nuremberg* : ville d'Allemagne ; désigne ici le procès international qui s'est tenu de novembre 1945 à octobre 1946, où de hauts responsables et des organisations du IIIe Reich ont été inculpés pour crime contre l'humanité.

parmi la population civile de certains territoires occupés afin de détruire des races ou classes déterminées de populations ». Parce qu'il poursuivait l'ambition d'éradiquer tous ceux qui ne correspondaient pas à son idéologie, le régime nazi tenta d'effacer l'Autre dans tous les aspects de son humanité.

Les traces de ceux qui subirent l'anéantissement méthodique organisé, notamment, lors de la conférence de Wannsee[1] sont rares. Peu de photographies, peu d'objets ont subsisté de ces individus, dont les corps furent réduits en cendres dans les fours crématoires des centres de mise à mort d'Auschwitz, de Treblinka, de Sobibor ou de Majdanek[2]. À leur arrivée dans les camps, en effet, la plupart des Juifs déportés étaient immédiatement dépossédés de tous leurs biens, rasés, puis obligés de se soumettre à l'humiliation de la nudité avant d'entrer dans la chambre à gaz[3], maquillée en douche commune. Puis, tous les biens confisqués qui pouvaient servir au Reich étaient triés au « Canada[4] », une section du camp spécialement dédiée à cette tâche, avant d'être réacheminés en train vers l'Allemagne. Les empilements de valises, de chaussures, de paires de lunettes, d'ustensiles de cuisine, de jouets pour enfants que le musée d'Auschwitz-Birkenau présente au visiteur témoignent de cette spoliation[5] et de cette tentative d'effacement systématique perpétrée par les nazis.

---

1. *Conférence de Wannsee* : voir lexique, p. 122.
2. *Auschwitz, Treblinka, Sobibor, Majdanek* : quatre des camps de mise à mort nazis, situés en Pologne. Il est à noter que si Auschwitz et Majdanek étaient à la fois des camps de concentration et des camps de mise à mort, Sobibor et Treblinka étaient quant à eux seulement des terminaux ferroviaires : les déportés étaient immédiatement conduits à la mort à leur arrivée.
3. *Chambre à gaz* : voir lexique, p. 119.
4. *Canada* : voir lexique, p. 119.
5. *Spoliation* : voir lexique, p. 121.

Le processus génocidaire s'inscrit donc dans le temps : il détruit autant le passé que l'avenir en rendant impossible la transmission. Dès lors, pour ceux qui ont réchappé des camps se pose cette question : comment transmettre quand le présent ne peut plus s'interpréter qu'à la lumière du passé ? Avec Primo Levi, « nous sentons notre sang se glacer dans nos veines et nous prenons conscience qu'être revenus d'Auschwitz tient du miracle[1] ». Les porteurs de mémoire, au premier rang desquels se trouvent les rescapés, peuvent être investis ou se charger d'une mission de passation et de diffusion, nécessairement douloureuse parce qu'elle ravive sans cesse le traumatisme subi. C'est dans ce contexte que la littérature, caisse de résonance des tragédies de l'Histoire, est devenue l'un des vecteurs privilégiés de cette transmission.

La littérature de la Shoah : résister à l'anéantissement

Regroupant aujourd'hui une grande diversité de textes, la littérature de la Shoah a d'abord été incarnée par des œuvres écrites par des rescapés, souvent sous la forme du témoignage. Que l'on pense à *Si c'est un homme* de Primo Levi[2] (1947), à *L'Espèce humaine* de Robert Antelme (paru la même année)[3], ou encore à *La Nuit* d'Elie Wiesel (1956), ces récits de la Shoah disent tous l'expérience concentrationnaire de leur auteur dans une langue sans ornement, attestant une vision personnelle, certes nécessairement partielle, de ces événements. De la

---

1. Primo Levi, *Si c'est un homme* [1947], trad. Martine Schruoffeneger, Julliard, 1987.

2. Voir Dossier, p. 139 et 148.

3. Voir, dans le Dossier, le texte de Marguerite Duras, épouse de Robert Antelme, qui relate son retour de déportation (p. 145).

déportation en train, dépeinte dans *Le Grand Voyage* (1963) de Jorge Semprún (1923-2011), au quotidien dans le camp, chaque récit est singulier et apporte un éclairage sur l'Histoire.

Le récit-témoignage est chargé d'une dimension documentaire [1] indéniable. Longtemps, il fut inconcevable de penser s'approprier une histoire aussi douloureuse pour la communiquer par le vecteur de l'œuvre littéraire si l'on n'était pas soi-même un rescapé des camps. Il faudra attendre la génération suivante, celle des enfants de déportés qui, par leurs parents, furent souvent les premiers dépositaires de cette mémoire, pour que soit brisé l'interdit moral de la représentation. Les événements racontés, les personnages décrits, les lieux évoqués sont alors considérés comme les composantes d'une fiction, fût-elle réaliste et directement inspirée d'itinéraires réels. À l'image de *W ou le Souvenir d'enfance* de Georges Perec [2] (1975), le récit s'appuie toujours sur des témoignages : dans cette œuvre, alternent chapitres fictionnels et autobiographiques, deux types de textes qui semblent n'avoir *a priori* rien en commun. D'un côté, en effet, l'auteur nous présente un univers d'athlètes sur « l'île de W », de l'autre celui d'un enfant juif pendant la guerre, qui, très tôt, devient orphelin – c'est l'histoire de Perec lui-même : il a quatre ans lorsque son père, engagé volontaire, meurt sur le champ de bataille ; il en a six quand sa mère est déportée et périt à Auschwitz. *W ou le Souvenir d'enfance* tire ainsi sa légitimité à évoquer la Shoah du lien familial qui unit le sujet, le narrateur et l'auteur. L'alternance des chapitres souligne les difficultés du récit de soi dans le cadre d'un passé familial douloureux.

Carl Friedman s'inscrit elle aussi dans cette évolution, en brouillant les pistes et en jouant avec les notions d'autobiographie, de fiction, de témoignage. L'auteur de *Mon père couleur de*

---

1. *Documentaire* : qui permet de documenter, c'est-à-dire de fournir des informations, des preuves.
2. Voir Dossier, p. 137.

nuit n'est ni juive, ni rescapée des camps. Elle choisit comme pseudonyme un nom à consonance[1] juive et invente un univers qui n'est pas complètement le sien. Une question se pose alors : peut-on écrire sur la Shoah si rien ne nous y rattache directement ?

Fiction(s) et Shoah, un interdit ou une nécessité ?

Si se saisir de la fiction pour perpétuer la mémoire des déportés continue en un sens l'entreprise des témoins et peut permettre de transcender[2] le document historique, un tel choix pose question. La Shoah est un événement appartenant à l'histoire récente, et la violence inouïe qui l'a caractérisée, ainsi que le nombre inimaginable de victimes qu'elle a entraînées, contribuent à la doter d'une charge émotionnelle particulière, dont on peut se demander si la fiction est en droit de s'emparer. Recourir à l'écriture fictionnelle, qu'elle soit romanesque, poétique, théâtrale ou cinématographique, construire des figures héroïques, dramatiser leurs actions, risque en effet de déréaliser le fait historique et d'en brouiller les contours. C'est ce qui fera dire à Claude Lanzmann[3], dans un article consacré au film *La Liste de Schindler* de Steven Spielberg (1993) : « La fiction est une transgression, je pense profondément qu'il y a un interdit de la représentation[4]. » C'est que, si la lecture d'un roman ou le visionnage d'un film permettent de s'identifier aux personnages représentés, cette proximité reste toujours illusoire, tant l'horreur des

1. *Consonance* : sonorité.
2. *Transcender* : dépasser, aller au-delà.
3. *Claude Lanzmann* (né en 1925) : écrivain, journaliste, cinéaste français, engagé dans la Résistance dès l'âge de 18 ans, en 1943.
4. Claude Lanzmann, « Holocauste, la représentation impossible », *Le Monde*, 3 mars 1994.

crimes nazis dépasse toute tentative de représentation. Il y aussi le fait, dans le cas spécifique du cinéma, que la notion de spectacle ou de divertissement, qui y est souvent associée, semble inapproprié aux souffrances endurées dans les camps.

Au-delà de la dimension morale qui amène nécessairement l'artiste à s'interroger sur la tonalité de son œuvre (peut-on rire de la Shoah ?), sur le réalisme (doit-on écarter les détails trop crus ?), sur la vérité historique (comment éviter toute erreur ?), c'est le langage qui pourrait sembler *in fine* impuissant à exprimer l'innommable, à évoquer le génocide le plus meurtrier de l'histoire. Les mots paraissent alors trop faibles pour rendre compte de la Shoah. Dans *Mon père couleur de nuit*, Carl Friedman amène ainsi le lecteur à réfléchir à la difficulté de partager la souffrance. « Vous ne pouvez pas comprendre », répète le père (p. 40). Cependant, il faut se souvenir de la pensée de Jorge Semprún, pour qui « rien des camps n'est indicible. Le langage nous permet tout[1] », et constater par le contact avec des œuvres telles que *Maus* d'Art Spiegelman[2], *Mon père couleur de nuit*, ou encore le très récent film de László Nemes, *Le Fils de Saul* (2015 ; voir Dossier, p. 157), que les œuvres d'art possèdent une force d'expression dont le témoignage brut ne dispose peut-être pas toujours.

---

1. *Le Monde des débats*, mai 2000.
2. *Artur Spiegelman*, dit *Art Spiegelman* (né en 1958) : dessinateur et scénariste américain, fils de Juifs polonais qui ont émigré aux États-Unis (voir p. 5-6 du cahier photos).

L'expérience des camps dans l'œuvre

Dès les premières pages de *Mon père couleur de nuit*, l'expérience des camps de concentration apparaît comme le *leitmotiv*[1] du récit. Elle est restituée par l'entremise de la narratrice, une petite fille âgée d'une dizaine d'années, qui écoute avec ses frères Max et Simon les récits de son père, survivant des camps de la mort.

Le camp comme maladie

Dans l'écriture de Carl Friedman, le camp est présenté comme une atteinte dont on ne guérit pas et qui empoisonne chaque événement de la vie quotidienne. Jochel, le père de famille, « a le camp » (p. 37), comme on souffre d'une affection chronique qui reviendrait sans cesse. La maladie occupe ainsi une place importante dans le récit. Elle est tout d'abord une réalité qui menace le prisonnier. Elle se nomme « typhus » (p. 56) et est alors synonyme d'une mort prochaine, d'une part parce que le corps s'affaiblit, et d'autre part parce que, devenu moins productif, le déporté risque la « sélection[2] » qui l'enverra à la chambre à gaz. Elle est aussi l'infection sourde[3] que le rescapé traîne avec lui, comme la tuberculose[4] que Jochel ira soigner au *sanatorium*[5] (p. 66).

1. *Leitmotiv* : thème ou motif récurrent.
2. *Sélection* : voir lexique, p. 121.
3. *Sourde* : ici, indéterminée.
4. *Tuberculose* : maladie infectieuse et contagieuse qui affecte les poumons.
5. *Sanatorium* : maison de santé où l'on traite les personnes atteintes d'affections pulmonaires comme la tuberculose.

Invisible, la maladie est également psychique et se traduit par des cauchemars durant lesquels le père revit les appels[1], interminables et humiliants. Le ressassement pathologique du passé envahit la narration et, à mesure que le récit progresse, la narratrice est éclipsée par le discours omniprésent du père, livré de plus en plus directement au lecteur. Les sujets les plus anodins renvoient Jochel à son internement dans les camps de la mort : le passage des oies dans le ciel (p. 58), le rappel aux enfants des règles d'hygiène (p. 42), les films de *cowboys* (p. 63). Jochel impose ses souvenirs à ses enfants au petit déjeuner, au détour d'une chanson, ou à l'improviste dans le chapitre « Le cours de danse », entraînant la colère de Max qui part sans se retourner.

Incurable, le camp semble aussi contagieux. Les enfants le ressentent et comparent leurs maladies à celles du père ; on imagine que les bacilles[2] de la tuberculose sont de petites bêtes et on se rend malade en buvant l'eau d'une flaque boueuse pour accéder au mal dont il a souffert (p. 36). Ce n'est pas la dysenterie[3] qui guette la narratrice et ses frères, mais la tristesse de ne pouvoir véritablement saisir l'ampleur du désastre intérieur qui a ravagé la figure paternelle. Dans cet univers ahurissant, des moments de répits sont accordés au détour d'une histoire légère, d'un conte mettant en scène le Petit Chaperon rouge ou un caleçon qui parle. Mais le merveilleux se teinte rapidement du voile noir de la fumée

---

1. *Appels* : obligatoires, ils constituent un moment de terreur quotidienne. L'appel se déroule sur l'*Appellplatz* et peut durer des heures au cours desquelles certains prisonniers sont « sélectionnés » pour être envoyés dans les chambres à gaz.

2. *Bacilles* : sortes de bactéries, dont certaines sont responsables de la tuberculose.

3. *Dysenterie* : maladie infectieuse qui provoque des coliques.

des crématoires, et si « Le Petit Chaperon rouge se promène avec son petit panier dans la forêt », « tout à coup, un chien méchant surgit du chenil. Bonjour, Petit Chaperon rouge, où t'en vas-tu comme ça ? Je vais chez ma grand-mère, répond le Petit Chaperon rouge. Elle est à l'infirmerie et elle a le typhus » (p. 55).

Une pédagogie de l'effarement[1]

Au-delà de l'horreur, le récit se veut pourtant pédagogique. La petite fille et ses frères, tout comme le lecteur – par un procédé de double énonciation qui s'apparente à celui du théâtre –, suivent l'enseignement du « professeur » Jochel. Son récit est d'ailleurs motivé par les questions des enfants :

> « Voilà qu'on se pose des devinettes maintenant ?
> – Non, je veux le savoir, c'est tout » (p. 93).

Le texte nous livre ainsi de façon réaliste le détail des conditions de vie dans les camps de concentration et de mise à mort nazis. Le lecteur découvre l'univers inhumain des « baraque[s], latrines ou four[s] crématoire[s] » (p. 47). Il assiste aux rudoiements des détenus par les SS[2] et les *Kapos*[3] sans pitié. L'alimentation rudimentaire est décrite avec minutie : des morceaux de pain à la sciure aux gâteaux pour chien, qui contrastent avec les « treize boîtes de pâté de foie gras de la firme Weisz à Budapest » trouvées dans le placard d'un *Kapo* lors de l'évacuation (p. 111). Les injonctions des SS sont transcrites telles quelles, restituant de manière immédiate l'atmosphère sonore des

---

1. *Effarement* : état d'une personne marquée par l'effroi, l'extrême stupéfaction.
2. *SS* : voir lexique, p. 121.
3. *Kapos* : voir lexique, p. 120.

camps : « *Mützen ab* » (« retirez vos calots », p. 39) ; « *Komm'mal mit* » (« suis-moi », p. 81) ; « *Hinunter Schweine* » (« En bas, bande de porcs », p 108). Ces paroles sont par la suite reprises avec une sombre ironie chez le père (« *Mach schnell* », lance-t-il à sa fille alors qu'elle se brosse les dents, p. 42) ou avec une inconscience naïve chez la jeune narratrice (« *Sauhund* ! *Sauhund* ! » crie-t-elle à son ours en peluche, p. 102). De la même manière, les concepts de l'idéologie nazie, tels le *Lebensraum* [1] (« espace vital », p. 89) ou l'*Untermensch* [2] (« sous-homme », p. 99), sont mentionnés dans le discours du père. Ce dernier ne nous épargne pas l'horreur des exécutions à répétition, telle celle du malheureux Gryshia, envoyé « à la chambre à gaz pour un congé éternel » (p. 106), ni celle des fours crématoires : « Le pire pour moi [...] c'était quand le vent venant du crématoire soufflait du côté de la place d'appel. Car, pendant que nous attendions au garde-à-vous, droits comme des piquets, le vent transportait de la graisse qui nous collait aux joues comme de la vaseline. Tu comprends ce que je veux dire ? » (p. 95).

L'enseignement reçu frappe par sa violence. Peut-être parce que atténuer ou édulcorer une réalité si abjecte serait tuer une seconde fois ceux qui ne sont pas revenus, le récit de Jochel développe une pédagogie de l'effarement qui confronte le lecteur à l'implacable mécanique de la barbarie nazie. Les *Kapos*, cyniques bras armés des SS, se complaisent dans leurs privilèges, et nous assistons pétrifiés à des scènes saisissantes comme celle où une jeune victime supplie son bourreau de l'épargner, et Willi Hammer [3] de répondre : « Pour qui tu me prends ? [...] La chambre

---

1. *Lebensraum* (« espace vital ») : voir lexique, p. 120.
2. *Untermensch* : voir lexique, p. 121.
3. *Willi Hammer* : en allemand, le mot *Hammer* signifie « marteau ».

à gaz, c'est anonyme. Je tiens trop à toi, *Liebchen*. C'est de mes propres mains que je vais t'anéantir ! » (p. 61).

L'histoire à hauteur d'enfant

La question du point de vue : une perception décalée

L'auteur prend le parti de donner à voir la brutalité des événements à travers l'innocence du regard de l'enfant. En effet, la narratrice, âgée de dix ans, est un personnage de l'histoire. Elle nous délivre le témoignage de son père et porte l'atrocité infernale de son expérience. La simplicité du langage, la déformation de certains mots ou encore les associations naïves et poétiques donnent alors lieu à des réflexions douces-amères. Lorsque Max, le frère aîné, explique à sa jeune sœur que « Même en comptant toute sa vie, sans manger, sans dormir, sans aller aux W.-C. », on ne pourrait dénombrer toutes les étoiles, celle-ci souligne l'absurdité d'une quête qui se fixerait cet objectif comptable : « Mais qu'est-ce que ça peut faire ? Il n'y a que les SS pour imaginer une chose pareille » (p. 43). Ainsi, le point de vue ingénu de l'enfant permet, par contraste, de faire ressortir l'aberration du crime nazi : « Bien sûr qu'on y gazait des gens [...]. Un camp, c'est fait pour ça, non ? » s'exclame Simon (p. 89).

L'expérience du père emplit l'esprit des enfants et peuple le quotidien de la famille, au point qu'elle en deviendrait presque banale pour Simon, Max et leur sœur. « Qu'est-ce que tu veux être plus tard ? » demande la maîtresse à la petite fille. « Invisible, comme ça les SS ne pourront pas m'attraper », répond-elle tandis que les autres enfants s'écrient : « Capitaine ! », « Infirmière ! », « Je veux être pompier ! » (p. 92). Les enfants de Jochel grandissent vite : ils s'aperçoivent que « les *cowboys* étaient, en fait, des SS » (p. 64) et se rendent compte avant les autres que, « non, les choses ne sont pas aussi simples qu'elles en ont l'air » (p. 60). Les autres enfants, eux, n'enterrent pas leurs jouets de peur que les SS reviennent et les donnent à d'autres. Ils parlent une langue différente – des mots comme « châlit[1] », « *Kapo* », « typhus » sont pour eux vides de sens. La narratrice appartient ainsi à une famille singulière par l'histoire douloureuse qu'elle a traversée. Parfois, la petite fille fait encore, dans son histoire à elle, l'expérience de cette différence qui stigmatise et sépare : « Tu n'es pas baptisée ? Oh ! Mais alors tu ne peux pas aller au ciel, ils ne te laisseront pas entrer ! » lui lance sa copine Nellie (p. 79).

L'aspect le plus émouvant du récit réside très certainement dans la tentative sans cesse renouvelée de « comprendre » la souffrance de son père, de le consoler de ses traumatismes. *Mon père couleur de nuit* met alors en lumière les difficultés de ces enfants, nés de parents meurtris par l'expérience concentrationnaire, qui vivent en permanence avec des souvenirs plus vieux qu'eux. Cette souffrance, le dessinateur israélien Kichka[2] l'exprime aussi dans son œuvre, rendant compte du fardeau porté par les enfants de la deuxième génération. Comme pour la petite fille, dans sa famille, « les camps étaient sans cesse mentionnés à la maison. La Shoah était présente du petit

---

1. *Châlit* : cadre de lit en bois ou en fer. Dans les baraques, les châlits sont superposés sur au moins trois étages.
2. *Kichka* (né en 1954) : auteur belge et israélien de bande dessinée, comme *Deuxième Génération* (2012).

déjeuner au dîner. Il ne fallait jamais rien laisser dans son assiette, jamais parler trop fort. Il y avait cette angoisse que ça se repasse. Et résultat, on a tous vécu autour de nos parents avec une précaution incroyable en essayant de ne pas leur faire de peine. Ce qui fait que j'ai eu beaucoup de mal à me construire, à faire à ma vie[1] ».

La révolte

Dans *Mon père couleur de nuit*, l'omniprésence de la souffrance du père et le monopole de la douleur mènent parfois à la révolte. La barbarie décrite si précisément dans le récit dépasse l'entendement des adultes qui ne l'ont pas vécue ; la compréhension des enfants ne peut être alors que rudement mise à l'épreuve. Max ne saisit pas pourquoi Dieu a « tout bonnement laissé faire », et lance à son père dans un élan de colère désespérée : « dorénavant, fiche-moi la paix avec tes histoires sur ton sale camp. Si c'est comme ça, tu ne méritais pas mieux ! » (p. 85). La révolte exprime aussi la frustration de ne pas avoir un père comme les autres, un père qui jouerait au foot et ne ressasserait plus son passé aux mains des nazis : « Et le camp par-ci et le camp par-là, toujours le camp. Il fallait y rester, merde ! » (p. 94).

En marge de ce difficile rapport au père, la mère est présentée comme une figure aimante et conciliante – le contrepoint du cynisme affiché de Jochel. Elle soutient son mari dans les épreuves et exprime une douleur muette. Sa souffrance anime elle aussi le récit mais son visage, baigné de larmes, s'illumine à la fin : « C'est le visage de la “chérie” de papa. Elle s'appelle

1. Interview donnée à France Info le 28 avril 2014.

Bette et elle l'a attendu » (p. 118). Médiateur empathique entre les enfants et leur père, elle rend la parole de ce dernier possible, pour que la mémoire des victimes ne sombre pas dans l'oubli.

CHRONOLOGIE

1918 1962

1918 1962

Le contexte international

La politique intérieure allemande

La progression de l'antisémitisme en Europe

Le contexte international		La politique intérieure allemande		La progression de l'antisémitisme[1] en Europe	
1918	11 novembre : signature de l'armistice qui met fin à la Première Guerre mondiale.	**1918**	9 novembre : abdication de Guillaume II et proclamation de la république. « Légende du coup de poignard dans le dos » (*Dolchstoßlegende*) selon laquelle la défaite de l'Allemagne incombe à l'action de groupes révolutionnaires, et non à l'armée.		
1919	28 juin : signature du traité de Versailles qui consacre la victoire des Alliés. Il est considéré comme un diktat par l'Allemagne, tenue seule responsable de la guerre et, à ce titre, amputée d'une partie de son territoire et contrainte de payer de lourds frais de réparations.	**1919**	31 juillet : adoption de la constitution de la république de Weimar (lieu de sa promulgation).		

1922	Proclamation de l'URSS, issue de la révolution russe d'octobre 1917.				
1923	Janvier : occupation de la Ruhr par la France.	**1923**	Hyperinflation qui fragilise la république de Weimar.		
		1925	Première élection du président Hindenburg à la tête de la république de Weimar.	**1925**	18 juillet : publication du premier volume de *Mein Kampf* d'Adolf Hitler.
1926	10 septembre : entrée de l'Allemagne dans la Société des Nations.			**1926**	11 décembre : publication du second volume de *Mein Kampf* d'Adolf Hitler.
1929	24 octobre : krach boursier aux États-Unis qui marque le début de la Grande Dépression.				
1932	Janvier : bataille de Shanghai qui prélude à la guerre entre la Chine et le Japon (1937-1945).	**1932**	Avril : réélection de Hindenburg à la présidence (environ 53 % des voix) face à Hitler (environ 36 %).		

1. Les termes suivis d'un astérisque sont expliqués dans le lexique, p. 119-122.

Le contexte international		La politique intérieure allemande		La progression de l'antisémitisme en Europe	
		1932 (suite)	Septembre : dissolution du Reichstag (assemblée parlementaire).		
1933	Novembre : l'Allemagne quitte la Société des Nations.	**1933**	30 janvier : Adolf Hitler est nommé chancelier par Hindenburg. 27-28 février : incendie du Reichstag. 22 mars : ouverture des premiers camps de concentration à Oranienburg et Dachau. 23 mars : fin de la république de Weimar. Loi sur « les pleins pouvoirs » par laquelle Hitler peut gouverner par décret sans avoir recours à la ratification du Parlement. Début du IIIe Reich *.	**1933**	1er avril : boycott des commerces appartenant à des Juifs. 7 avril : loi sur « la restauration de la fonction publique » qui permet de révoquer les fonctionnaires juifs. 10 mai : premier autodafé, à Berlin, de livres « juifs, socialistes, pacifistes ou libéraux ».

				1935	15 septembre : les lois de Nuremberg privent les Juifs de leurs droits civiques et légalisent leur persécution.
1936	18 Juillet : début de la guerre civile espagnole. 1er novembre : annonce de l'axe Rome-Berlin issu de l'alliance entre Hitler et Mussolini.	**1936**	7 mars : en dépit des traités internationaux, Hitler ordonne la remilitarisation de la Rhénanie.		
1937	26 avril : bombardement de Guernica (Espagne) par l'Allemagne nazie et l'Italie fasciste en soutien au coup d'État nationaliste espagnol.				
1938	29-30 septembre : accords de Munich par lesquels la France, la Grande-Bretagne, l'Allemagne et l'Italie conviennent de l'annexion des Sudètes	**1938**	15 mars : annexion de l'Autriche par le IIIe Reich * (*Anschluss*).	**1938**	Avril : les Juifs doivent faire enregistrer les biens qu'ils possèdent. Mai : déportation massive de Juifs et de communistes à Dachau.

Le contexte international		La politique intérieure allemande		La progression de l'antisémitisme en Europe	
1938 (suite)	(territoires de langue allemande situés aux frontières allemande et autrichienne de la Tchécoslovaquie) par l'Allemagne. 6-15 juillet : conférence d'Évian en présence de 32 pays d'Amérique et d'Europe pour venir en aide aux réfugiés juifs allemands et autrichiens. Aucune mesure concrète n'est prise.			**1938 (suite)**	9-10 novembre : nuit de Cristal en Allemagne et en Autriche (saccage des lieux de culte et de travail des Juifs, qui culmine dans l'assassinat ou la déportation de plusieurs milliers d'entre eux).
1939	1er septembre : invasion de la Pologne par la Wehrmacht *. La France et la Grande-Bretagne déclarent la guerre à l'Allemagne, ce qui marque le début de la Seconde Guerre mondiale.	**1939**	23 août : traité de non-agression entre l'Allemagne et l'Union soviétique.	**1939**	30 janvier : discours de Hitler au Reichstag annonçant que la guerre signifie « l'annihilation de la race juive en Europe ». Avril et novembre : nombreuses mesures antijuives.

1940	10 juin : entrée en guerre de l'Italie fasciste au côté de l'Allemagne. 14 juin : entrée de la Wehrmacht à Paris. 17 juin : le maréchal Pétain forme un nouveau gouvernement partisan de la paix. 18 juin : appel du général de Gaulle en faveur de la résistance. 22 juin : signature de l'armistice entre la France et l'Allemagne. Juillet-mai 1941 : bataille d'Angleterre.			**1940**	Mars : ordre d'identifier les Juifs sur les cartes d'alimentation par l'apposition d'un « J ». Avril : premier ghetto * à Łódź (Pologne). Avril : création du camp * d'Auschwitz, en Pologne. 3 octobre : le gouvernement de Vichy, de son propre chef, adopte une loi sur le « statut » des Juifs. Ils sont désormais exclus de certains secteurs d'activité, dont la fonction publique et la presse. 16 novembre : création d'un mur d'enceinte autour du ghetto de Varsovie.
1941	22 juin : opération Barbarossa lancée contre l'URSS, en dépit du traité germano-soviétique signé avec Staline.	**1941**	7 décembre : le décret « *Nacht und Nebel* » (« Nuit et Brouillard ») ordonne la déportation de tous les ennemis et opposants du Reich.	**1941**	14 mai : premières rafles en France. Juin : début de la « Shoah par balles » par les *Einsatzgruppen* (groupes mobiles d'intervention).

Le contexte international		La politique intérieure allemande		La progression de l'antisémitisme en Europe	
1941 (suite)	7 décembre : destruction de la flotte américaine de Pearl Harbor par le Japon. 8 décembre : entrée en guerre des États-Unis.			**1941 (suite)**	Août : d'abord camp de prisonniers, Drancy devient le plus important camp d'internement français par lequel les Juifs transitent vers l'Allemagne. Septembre : port obligatoire d'une étoile jaune pour les Juifs allemands âgés de plus de 6 ans et nouvelles mesures antijuives. 29 et 30 septembre : massacre de Babi Yar (Ukraine) au cours duquel 34 000 Juifs sont abattus par balles. Octobre : interdiction générale d'émigrer faite aux Juifs de l'Europe allemande. Novembre : début de l'extermination de masse dans le ghetto de Riga. 7 décembre : premiers camions à gaz

				1941 (suite)	opérationnels dans le centre de mise à mort de Chełmno.
1942	Juillet-février 1943 : bataille de Stalingrad qui marque le tournant de la Seconde Guerre mondiale. 8 novembre : débarquement des Alliés en Afrique du Nord (opération Torch).			**1942**	20 janvier : conférence de Wannsee* qui réglemente l'organisation de la « solution finale* ». 16-18 juillet : rafle du Vél d'Hiv, environ 13 000 Juifs sont arrêtés à Paris et en banlieue et sont déportés. 23 juillet : premières déportations du ghetto de Varsovie vers le camp de mise à mort* de Treblinka.
1943	31 janvier : capitulation de l'armée allemande à Stalingrad. 10 juillet : débarquement des Alliés en Sicile (opération Husky).	**1943**	Janvier : Hitler proclame la « guerre totale ».	**1943**	Mars : construction des grands fours crématoires* d'Auschwitz. 19 avril : début de la révolte du ghetto de Varsovie.
1944	6 juin : débarquement allié en Normandie. 25 août : libération de Paris.	**1944**	20 juillet : échec de l'attentat contre Hitler.	**1944**	Août : déportation massive de Juifs hongrois à Auschwitz. Novembre : premières « marches de la mort* ».

Le contexte international		La politique intérieure allemande		La progression de l'antisémitisme en Europe	
1945	4-11 février : conférence de Yalta qui réunit la Grande-Bretagne, les États-Unis et la Russie. 26 juin : fondation de l'ONU à San Francisco. 8 mai : capitulation de l'Allemagne nazie. 6 et 9 août : explosions de bombes atomiques américaines à Hiroshima puis à Nagasaki. 2 septembre : capitulation du Japon et fin de la Seconde Guerre mondiale.	**1945**	30 avril : suicide de Hitler. Politique de dénazification mise en place par les Alliés. Octobre : procès de Nuremberg où sont jugés les grands criminels nazis (jusqu'à octobre 1946).	**1945**	27 janvier : libération d'Auschwitz-Birkenau par l'Armée rouge.
1960	11 mai : enlèvement d'Adolf Eichmann par le Mossad (agence de renseignement d'Israël) à Buenos Aires.				
1961	11 avril : début du procès d'Adolf Eichmann en Israël. 11 décembre : Adolf Eichmann est condamné à la peine de mort.				
1962	31 mai : pendaison				

Mon père couleur de nuit

À mon fils Aron.

■ Le camp de mise à mort d'Auschwitz, 1945.

Le camp[1]

Il ne l'appelle jamais par son nom. Ça pourrait être Trebibor, Majdawitz, Soblinka ou Birkenhausen[2]. Il dit « le camp » comme s'il n'en avait existé qu'un seul.

« Après la guerre, dit-il, j'ai vu un film sur le camp. Des pri-
5 sonniers étaient en train de se faire frire un œuf pour le petit déjeuner. » De la paume de la main, il se frappe le front. « Un œuf ! dit-il d'une voix acérée. Dans le camp ! »

Le camp, c'est donc un endroit où on ne se fait pas d'œufs.

Plus encore qu'un endroit, le camp est un état. « J'ai eu le
10 camp », dit-il. Ainsi, il fait une distinction entre lui et nous. Nous, nous avons eu la varicelle et la rubéole. Et Simon, lui, après être tombé d'un arbre, est resté des semaines au lit avec un traumatisme crânien.

Mais le camp, nous ne l'avons pas encore eu. Le plus souvent,
15 pour simplifier, il omet le participe passé. « J'ai le camp », dit-il alors, comme si cet état durait encore. Et d'ailleurs, c'est le cas. Il a toujours le camp, surtout au visage. Pas tellement au nez, ni aux oreilles, bien qu'elles soient assez grandes pour cela, mais dans les yeux.

20 Au zoo, j'ai vu un loup qui avait les mêmes yeux que lui. Il arpentait sa cage d'avant en arrière et d'arrière en avant, s'approchant de

---

1. ***Camp*** : voir lexique, p. 119.
2. ***Trebibor, Majdawitz, Soblinka ou Birkenhausen*** : les noms des véritables camps sont Treblinka, Sobibor, Majdanek (ou Maïdanek) et Birkenau.

la grille, puis s'en éloignant. Je l'ai regardé longuement à travers les barreaux.

Inquiète, je suis partie à la recherche de Max et Simon. Ils étaient penchés au-dessus de la balustrade, près du rocher aux singes, et riaient d'un babouin qui jetait des graviers.

« Venez voir le loup », dis-je, mais ils ne manifestèrent aucun intérêt. Ce n'est que lorsque je me mis à pleurer que Max se décida à me suivre à contrecœur.

« Alors, demanda-t-il d'un ton désabusé, une fois parvenus devant la cage du loup. Qu'est-ce qu'il a cet animal ?

– Il a le camp ! dis-je en reniflant. Max lança un regard à travers les barreaux.

– Impossible ! répliqua-t-il, les loups n'ont pas le camp ! » Il me tira alors par la main, il fallait aller voir les singes.

Quand nous sommes rentrés et que ma mère, voyant mes joues trempées de larmes, demanda ce qui s'était passé, Max répondit en haussant les épaules :

« Elle est encore trop petite pour le zoo. »

Mignon

Max boit dans une flaque d'eau. Couché dans la boue, il se penche en avant et aspire l'eau brunâtre avec une paille.

« Ça a le goût de quoi ? » lui demandons-nous, impatients. Mais il ferme les yeux d'un air dédaigneux et continue à aspirer.

« Cochon ! crie ma mère de loin. Tu vas tomber malade ! »

Nous devons rentrer, même Simon et moi, qui pourtant n'avons pas eu le temps d'y goûter.

Le soir, Max se plaint d'avoir mal au cœur. Il gémit en se tenant le ventre.

« J'ai avalé des vers de terre, je les sens ramper ! »

Le camp, on ne l'attrape pas en buvant dans les flaques d'eau. On n'attrape pas le camp en jouant dehors sans manteau, ni en ne se lavant jamais les mains. Je ne sais pas d'où ni de quoi mon père a le camp. Je crois qu'il l'a parce qu'il est différent de la plupart des gens que je connais. Comme il est différent, ma mère aussi est différente. Et comme ils sont différents tous les deux, Max, Simon et moi, nous sommes différents des enfants normaux. À la maison, on ne s'en aperçoit pas, mais à l'école, si.

« Un monsieur qui vole ! dit la maîtresse en riant, alors qu'elle se penche sur mon dessin.

– Il ne vole pas, il est pendu. Regardez, il est mort, sa langue est bleue. Et les prisonniers doivent le regarder, en guise de punition. Mon père y est aussi, là, avec les grandes oreilles.

– C'est bien, dit la maîtresse.

– Ce n'est pas bien du tout, dis-je. Ils ont faim et maintenant ils vont devoir attendre longtemps avant d'avoir leur soupe. » Mais elle est déjà à la table suivante.

« Deux petits nains sur un champignon, s'écrie-t-elle, en tapant des mains. Ça au moins, c'est mignon ! »

Furieuse, je tire de gros traits sur mon dessin et retourne la page. Des nains, qu'est-ce que ça a de mignon ? J'en dessine bien plus que deux : cinq dans la neige et un autre tout en haut du mirador [1].

---

1. ***Mirador*** : tour servant de poste de surveillance, dans un camp ou une prison.

L'appel[1]

Il n'a pas le camp que sur la figure, mais aussi dans les doigts, qui pianotent nerveusement sur le rebord de la table ou sur le bras de son fauteuil.

Et il a le camp dans les pieds. Au milieu de la nuit, ceux-ci se
5 glissent hors du lit et l'entraînent par l'escalier au bout du couloir. Nous l'entendons de loin, ouvrir et fermer des portes, ne trouvant derrière aucune d'elles le calme qu'il recherche.

« Tu as encore déambulé cette nuit ? » demande ma mère, pendant le déjeuner. Il acquiesce. Elle pose sa main sur la sienne.
10 « Jochel, dit-elle, Jochel. »

Parfois, il nous réveille complètement à déambuler ainsi. Alors nous descendons en pyjama pour lui tenir compagnie. Il tourne en rond, pendant que, du divan, nous l'observons. Lorsque ma mère entre, il s'arrête.
15 « Je vous empêche tous de dormir », marmonne-t-il. Elle se frotte les yeux et soupire.

« Et alors, dit-elle, tu es en vie, et ça, c'est le principal. Pour ma part, tu peux bien danser toute la nuit sur les toits. »

Il se penche vers elle, elle cale son front dans le creux de son
20 nez. Leurs visages s'emboîtent comme les morceaux d'un puzzle.

Une fois, Simon et moi, nous sommes réveillés en sursaut par un grand remue-ménage. Tous les deux, nous allons voir. La lampe du palier est allumée, les pieds sur le linoléum[2] glacé, nous clignons des yeux dans la lumière. La porte de la grande
25 chambre est ouverte. Mon père est étalé de tout son long sur le plancher. Son sourcil saigne. Max et ma mère sont agenouillés près de lui.

---

1. ***Appel*** : voir note 1, p. 15.

2. ***Linoléum*** : toile rigide utilisée comme revêtement de sol.

« Prends son autre bras, dit-elle, sinon il va retomber contre l'armoire. »

30 Ils le tirent pour le remettre sur pied. Dès qu'il est debout, il se met au garde-à-vous et porte la main à sa tête.

« *Mützen ab* » (retirez vos calots [1]), murmure-t-il. Il laisse son bras retomber le long de son corps et le relève aussitôt. « *Mützen auf* » [2] (remettez vos calots). Du sang apparaît sur ses doigts.

35 « Non, Jochel. » Ma mère le saisit par les épaules. Max sautille autour de lui comme un petit chien.

« La cloche pour l'appel a sonné, dit mon père, d'une voix que je ne connais pas.

– Il n'y a pas de cloche ici, dit ma mère, en le poussant vers 40 le lit. Tu es à la maison, avec moi. »

Une fois qu'il est assis sur le bord du lit, elle se retourne et, sans le lâcher, elle dit :

« Tout va bien, allez vous coucher. »

Enfouie sous les couvertures, je me mets à pleurer.

45 « N'aie pas peur, dit Simon. Ce n'est pas pour de vrai. La cloche, l'appel, ce n'était qu'un rêve. »

À travers une petite ouverture, je demande :

« Et le sang ? Le sang aussi, c'était un rêve ? »

Pas de réponse.

Bon appétit

« C'est déjà ta troisième assiette, dit ma mère à Max. Pense à laisser de la place pour les cerises. » Il hoche la tête.

---

1. ***Calots*** : petits chapeaux sans bord qui couvrent la partie supérieure de la tête.

2. ***« Mützen ab »/« Mützen auf »*** : ordres donnés par les soldats nazis dans le camp.

« Je pourrais en manger un kilo entier tellement j'ai faim.

– Toi, dit mon père d'un ton ironique, tu ne sais même pas
5 ce que c'est que la faim.

– Mais si, proteste Max, c'est quand l'estomac fait des gargouillis. » Mon père secoue la tête.

« Quand on a vraiment faim, l'estomac ne se contente plus de faire des gargouillis, il te tenaille. Tu es complètement vide de
10 l'intérieur et mou comme un ballon dégonflé. » Son regard devient vide.

« Vous ne pouvez pas comprendre, dit-il. Nous faisions des journées de douze heures et plus et tout ce qu'on nous donnait, c'était de la soupe de betteraves rouges et un morceau de pain.
15 La soupe, c'était une eau trouble dans laquelle on ne trouvait pas la moindre betterave. Si, par hasard, quelque chose flottait à la surface, c'était méconnaissable.

« C'était Sigismond la Brute qui distribuait la soupe. Sigi était un Polonais beaucoup plus fort que nous. Au camp, il n'avait
20 pas perdu un seul gramme. Chaque jour, il mettait un peu de soupe de côté pour l'échanger contre des cigarettes. Avec ces cigarettes, il achetait du pain, du goulasch [1], des couvertures. Il portait même des sous-vêtements en laine.

« À son ceinturon, il portait une énorme louche d'acier, avec
25 laquelle il versait la soupe dans nos gamelles.

« Aux nouveaux venus qui osaient se plaindre de la qualité de la soupe, il défonçait le crâne à coups de louche. Il nous criait alors, en montrant le carnage : "Soyez contents, maintenant vous avez de la viande !"

30 – Et tu avais combien de morceaux de pain ? » demande Simon.

Mon père ouvre la main, au-dessus des assiettes et des plats où il ne reste rien et, comme s'il attrapait de l'air, il la referme, laissant un petit espace entre l'index et le pouce.

---

1. ***Goulasch*** : ragoût de bœuf, spécialité hongroise.

35 «Comme ça, dit-il, et plus tard, encore moins. Il était fait d'une farine mélangée à de la paille et de la sciure.

– De la sciure ?» Simon fait la grimace. «Comme celle de Jonas ?»

Jonas, c'est notre hamster. Toutes les semaines, Max recouvre 40 le fond de sa cage de sciure propre.

«Vous ne pouvez pas comprendre», dit mon père.

Il se lève, mais au-dessus de la table continue à planer l'ombre de la ration de pain. Je la regarde et, dans mon impuissance, je hais les cerises que ma mère partage entre 45 nous.

Comme nous sommes gâtés !

SS[1]

Au-dessus du lavabo, ma mère colle un morceau de carton sur lequel elle a écrit en grosses lettres rouges : SE BROSSER LES DENTS ! C'est surtout le point d'exclamation qui m'impressionne. «Comment expliquer ça à mes enfants ?» dit mon père 5 d'un ton sarcastique. Il se tient sur le pas de la porte de la salle de bains, les mains dans les poches de son pantalon.

«De bonnes chaussures et une denture saine sont les piliers de la société, dit ma mère.

– Sûrement, mais faut-il coûte que coûte suspendre des écri-10 teaux aux murs ?

– Si j'en ai envie, se défend-elle.

---

1. ***SS*** : voir lexique, p. 121.

– Qui sait si demain tu n'auras pas envie d'en mettre d'autres avec par exemple : *Bad und Desinfektion* (bain et désinfection) ou *Sauber sein ist deine Pflicht*[1] (l'hygiène est un devoir).

15 – Tu es bête», dit ma mère. Elle arrache le carton et s'en va.

«Alors ? dit-il en s'adressant à moi. Tu ne dois pas te brosser les dents ? *Mach schnell !* (fais vite)» Il rit.

«C'était un bel écriteau», dis-je d'un air grave, en pressant le tube de dentifrice au-dessus de ma brosse. Afin de lui rendre 20 hommage à titre posthume[2], pour ainsi dire, je brosse sur toutes les surfaces et dans tous les recoins.

Quand après m'être rincé la bouche je me retourne, mon père fait les cent pas sur le palier. «Dans le camp, quand les SS s'ennuyaient, dit-il, ils s'emparaient du calot[3] de n'importe quel 25 détenu et le jetaient haut, sur les fils barbelés. "Va chercher ton calot, disaient-ils alors, sinon on te tire dessus[4] !"»

Je hoche la tête. Pieds nus, je me dirige vers ma chambre. Simon dort chez un copain, son lit est affreusement vide. Et Max a le droit de se coucher plus tard parce qu'il est l'aîné. Dès que 30 je suis sous les couvertures, la tête de mon père apparaît dans l'entrebâillement de la porte.

«Mais les barbelés étaient électrifiés, ajoute-t-il. Il n'y a que les SS pour imaginer une chose pareille.»

Bien que ma mère soit venue me border, je n'arrive pas à 35 m'endormir. Je vais m'asseoir sur le lit de Simon, sous la fenêtre. Doucement, j'entrouvre les rideaux. Dehors, le vent souffle. Des nuages au dos de dragons se poursuivent dans le ciel. Max dit

---

1. ***Bad und Desinfektion/Sauber sein ist deine Pflicht*** : panneaux, particulièrement cyniques, présents dans les baraques ou à l'entrée des chambres à gaz.
2. ***Posthume*** : après la mort.
3. ***Calot*** : voir note 1, p. 39.
4. Jeu sadique illustré par Art Spiegelman dans la bande dessinée *Maus* (voir cahier photos, p. 5-6).

que l'espace est infini et que les étoiles sont innombrables. Même en comptant toute sa vie, sans manger, sans dormir, sans aller 40 aux W.-C., on ne pourrait pas les dénombrer.

Je suis assise sur le lit de Simon et je regarde le ciel. L'obscurité est plus noire que d'habitude, elle m'engloutit presque. Max dit que quand ici c'est la nuit, quelque part dans le monde, il fait jour. Mais qu'est-ce que ça peut faire ? Il n'y a que les SS pour 45 imaginer une chose pareille. C'est comme pour les étoiles.

Volatilisé

C'est samedi. Nous déjeunons. Mon père ne mange jamais de tartines le matin, mais il ne manque pas d'occupations. Il boit son café, fume des cigarettes et raconte des histoires. Nous écoutons. Ça tombe bien, ma mère nous défend de parler la 5 bouche pleine.

« Il m'arrive encore d'en rêver, dit-il d'un ton hargneux. Alors, en une seule nuit, je la construis entièrement, de mes propres mains, cette maudite usine. J'en aurais été capable à l'époque. On était capables de tout, même de l'inconcevable. On était des 10 outils, des choses, on appartenait à l'État. Dès qu'on était trop faibles pour travailler au rythme imposé, dès qu'on ne justifiait plus leur malheureuse ration de pain, ils nous expédiaient à la retraite, pour l'éternité, sous terre, bien entendu. Je ne cessais d'y penser, pas une seconde je ne relâchais mon attention.

15 « Le *Kommando* de travail[1] dont je faisais partie à l'époque était composé en grande partie de médecins, d'avocats et autres

---

1. ***Kommando*** ou ***Kommando de travail*** : voir lexique, p. 120.

qui, de toute leur vie, n'avaient jamais travaillé de leurs mains. Il ne se passait pas une seule journée sans qu'il y ait un accident, surtout lorsque nous travaillions sur le toit. Il nous fallait porter de grosses poutres de béton, sur une planche étroite, placée en biais contre le mur. Par groupes de six, nous montions à la queue leu leu, comme des poules. Si l'un d'entre nous tombait, les autres aussi perdaient l'équilibre et tous allaient s'écraser au sol. Celui qui ne s'était pas cassé les os à l'arrivée pouvait compter sur les SS, experts en la matière.

« Un jour, dans ce *Kommando*, je découvris un de mes anciens amis, un camarade d'études. Ses parents étaient richissimes. Il me passait ses vieux costumes, dans lesquels, des années plus tard, je faisais encore très bonne impression. J'étais content de revoir un visage familier. Nous avions passé nos examens avec les mêmes professeurs, nous avions dansé avec les mêmes filles, et maintenant les mêmes SS menaçaient notre vie. Décidément, notre sort était lié !

« Je me suis dirigé vers lui pour lui serrer la main.

« "Jacques !" lui ai-je dit. Mais il s'est caché derrière un tas de gravier.

« "Qui êtes-vous ? m'a-t-il répondu. Vous me faites peur."

« Un Tchèque de sa baraque me raconta que, peu après son arrivée au camp, il était devenu complètement fou.

– Et après ? demande Simon plein d'espoir. Il a fini par te reconnaître ?

– Non, il ne m'a plus jamais reconnu. Je n'ai pas voulu insister. Lorsque quelqu'un lui adressait la parole, il se mettait à trembler de peur. J'essayais de rester près de lui, dans la mesure du possible.

« Cela n'a servi à rien. Un jour, il a échappé à notre vigilance et il est monté tout seul sur le toit. Lorsque, en bas, nous nous en sommes aperçus, c'était trop tard. Nous avons juste eu le temps de le voir prendre son élan et sauter dans le vide. »

50 Mon père recule sa chaise et part au trot. En même temps, il écarte les bras. « C'est comme ça qu'il a sauté du toit, comme un oiseau qui bat des ailes. C'était Charlie Chaplin [1] tout craché. Au même moment des SS lui ont tiré dessus et il est tombé en chute libre. » Les bras en l'air il reste planté au milieu de la pièce. « Et 55 c'est bizarre, dit-il en fixant le plafond, aujourd'hui encore, je continue à croire que s'ils ne l'avaient pas touché, il se serait envolé. Volatilisé. »

Entraînement

Au camp, il a fabriqué un couteau [2]. Il se trouve dans le tiroir parmi les couverts, mais on ne s'en sert jamais. Ce n'est pas un couteau comme les autres : il ne brille pas et la lame, toute rayée, est tordue du côté non tranchant. Mais ce couteau se distingue 5 surtout des autres parce qu'il a une histoire.

« Je l'ai fabriqué avec de l'acier d'avion, raconte mon père. Il m'a fallu des mois.

– Vous aviez le droit d'avoir des couteaux ? demande Max.

– Bien sûr que non, qu'est-ce que tu crois. Je travaillais en 10 douce, quand les SS ne regardaient pas, à l'usine [3], où nous disposions d'outils. Le manche, je l'ai fait à la fraiseuse [4], mais la

---

1. ***Charlie Chaplin*** (1889-1977) : acteur comique américain qui s'est notamment illustré dans le film *Le Dictateur* (1940), satire du régime nazi.

2. De nombreux objets ont été fabriqués dans les camps, de façon clandestine, comme le montre le film *Nuit et Brouillard* d'Alain Resnais, sorti en 1956.

3. ***L'usine*** : référence aux usines chimiques et d'armement où travaillaient les déportés, comme celle de Dora, près de Buchenwald, où ont été fabriqués les missiles V2, ou celle de Buna-Werke, dirigée par la compagnie IG Farben.

4. ***Fraiseuse*** : outil servant à façonner des métaux.

lame je l'ai limée à la main. Une fois terminé, je l'ai toujours gardé sur moi. Il fallait être habile, car tous les soirs les gardes nous fouillaient. »

Il se redresse et reste immobile, les bras en l'air, comme si un SS invisible le tâtait sur tout le corps.

« Ils fouillaient partout, sauf sous les bras. Je faisais donc glisser le couteau dans ma manche et je m'arrangeais pour qu'il reste calé sous mon aisselle.

– Ils ne l'ont jamais trouvé ? demande Simon.

– S'ils l'avaient trouvé, je ne serais plus là. Ils n'étaient pas fous, ils savaient bien que ce n'était pas pour beurrer ses tartines qu'un prisonnier se fabriquait un couteau. La guerre tirait à sa fin, l'Armée rouge [1] avançait. J'étais sûr qu'au dernier moment, à l'approche de la libération, ils finiraient par nous tuer et je me préparais au pire.

– Est-ce que tu as tué des SS ? demande Max avec empressement [2].

– Avec le couteau ? murmure mon père. Non, avec le couteau, non. »

Dans le ton, perce comme un secret, une menace. Nous voudrions en savoir beaucoup plus, mais ma mère met fin à la conversation.

Le lendemain après-midi, Max emporte le couteau sur le talus de la voie ferrée. Il dit qu'il faut s'entraîner. À tour de rôle, nous levons les bras, mais lorsque nous le faisons passer dans notre manche, il glisse à travers nos vêtements et tombe dans l'herbe. Seul Max parvient à le tenir quelques secondes en équilibre sous son aisselle.

« Tu penses tout le temps : il ne faut pas qu'il tombe, il ne faut pas qu'il tombe. Tu te dis : s'il tombe, ils vont me fusiller

---

1. ***L'Armée rouge*** : voir note 1, p. 8.
2. ***Avec empressement*** : avec une ardente curiosité.

ou me gazer. Essaye, ça marche ! » Nous essayons, mais le couteau est trop rapide.

« Je ne veux pas être gazé ! » crie Simon indigné, en donnant
45 des coups de pied dans le couteau. Max le ramasse.

« Vous avez vu comme la lame est rayée ? dit-il. Il y a très longtemps, les hommes fabriquaient des armes avec du silex. Elles ressemblaient à cela. » De l'index, il caresse la lame. « C'est un couteau préhistorique. »

Eichmann[1]

« Il est vraiment bizarre ton père », dit Nellie en ricanant. Elle m'interroge des yeux, mais j'évite son regard. Que répondre ? Elle ne sait pas ce que c'est que la faim, les SS. Des mots comme *baraque*, *latrines*[2] ou *four crématoire*[3] n'évoquent rien pour elle.
5 Elle parle une autre langue.

Le père de Nellie n'a pas le camp, il a un vélo pour aller à l'usine avec sa boîte de sandwichs sous les tendeurs.

La mère de Nellie porte toujours des pantoufles à carreaux. Elle lève à peine les pieds, elle patine. Elle fait des tours de piste
10 dans la cuisine, car elle vit dans sa cuisine, entre les assiettes sales et le raccommodage. Elle a toujours l'air en colère, pas seulement après nous, mais après les casseroles, la cafetière et le

1. ***Adolf Eichmann*** (1906-1962) : responsable nazi vu comme le « logisticien » de la Solution finale, il organisa la déportation et l'extermination des Juifs d'Europe orientale et d'Allemagne. Réfugié tout d'abord en Argentine, il fut par la suite jugé et condamné à mort en Israël.
2. ***Latrines*** : toilettes sommaires.
3. ***Four crématoire*** : voir lexique, p. 120.

monde entier. Son dentier trempe dans une soucoupe sur l'évier. Elle ne le porte que le dimanche, pour aller à l'église.

15 « Vous avez bien la télévision ? demande-t-elle quand, après l'école, je viens voir par la porte de derrière si Nellie est là. Alors, vous regardez sûrement Eichmann, vous aussi[1]. » Le ton hostile me rend nerveuse. Je fixe mon regard sur le paillasson. « Tu ne sais pas qui c'est, Eichmann ? »

20 Furieuse, elle va et vient en patinant. Au passage, elle remet avec fracas une chaise à sa place et tripote les boutons du gaz.

« Cet homme est une bête ! Ce n'est pas pour rien qu'il est dans une cage en verre. J'aimerais le tuer à coups de pied, ce salaud ! » Elle s'essuie longuement les mains à son tablier. « On 25 l'a vu hier de nos propres yeux à la télévision. Ils remplissaient un camion de Juifs et, dès qu'il roulait, le gaz pénétrait à l'intérieur[2]. Alors tout le monde mourait asphyxié. Il y avait un tout petit chien, qui hurlait à fendre l'âme. Ils l'ont jeté lui aussi dans l'auto. »

30 Elle lève le bras pour imiter le geste mais se cogne au placard suspendu au mur.

« C'est incroyable ! dit-elle, sa bouche édentée grande ouverte. Qu'est-ce qu'il avait fait de mal ce petit chien ? Il n'était pas juif, lui ? » Nellie fait des grimaces dans son dos.

35 « Tu es là ? On va jouer ?

– Non, non, je dois rentrer. »

Mes chaussettes tombent sur mes chevilles, mais je continue à courir.

---

1. Ce chapitre se déroule donc à partir du 11 avril 1961, date de l'ouverture du procès du haut fonctionnaire et criminel de guerre SS Adolf Eichmann à Jérusalem, soit seize ans après la fin de la guerre.

2. Référence aux premières tentatives de mise à mort des Juifs au moyen de camions dont les pots d'échappements déversaient leur gaz à l'intérieur d'une remorque dans laquelle des hommes étaient entassés. Ces procédures avaient pour but d'« humaniser », pour les bourreaux, la mise à mort et de rationaliser le coût de l'extermination. Il s'agit d'une étape préalable au développement des chambres à gaz.

Quand je fais irruption dans le salon, la télévision est allumée. Sur l'écran, je vois la cage de verre, avec à l'intérieur, un homme au crâne dégarni qui porte des lunettes. Il parle dans un micro. Il n'a pas l'air d'une bête, il ressemble à M. Klerkx, celui qui parfois remplace la maîtresse et qui, avant de commencer la leçon, nous fait chanter. « Hé, petites fleurs, dormez-vous encore ? » Je demande, déçue : « C'est lui Eichmann ? Il n'a pas du tout l'air méchant, il ressemble à M. Klerkx, de l'école. » Mon père acquiesce.

« Il ressemble au facteur et au boulanger. Le facteur distribue le courrier, le boulanger fait le pain et Eichmann a conduit des hordes de malheureux aux chambres à gaz[1]. Il faisait tout simplement son travail comme d'autres font le leur[2]. C'est à vomir.

– Alors pourquoi tu regardes ?

– Parce que je veux comprendre. Mais je comprends encore moins maintenant qu'avant.

– La mère de Nellie dit qu'elle voudrait le tuer à coups de pied. »

Mon père éclate de rire.

« Avec ses savates ? »

Il allume une cigarette.

« Elle n'est pas la seule, dit-il. Des lettres de gens qui se proposent pour tuer Eichmann, le journal en est plein. Eichmann. Maintenant qu'il est sans défense, maintenant qu'en effet on pourrait l'écraser du bout d'une vieille savate. Toute une armée de volontaires. Où étaient-ils tous ces héros quand on avait besoin d'eux ? Je n'y comprends plus rien. »

---

1. ***Chambres à gaz*** : voir lexique, p. 119.

2. Référence au concept de la « banalité du mal » établi par la philosophe allemande Hannah Arendt (1906-1975), qui montre dans les années 1960 que les SS, dont Eichmann, étaient des fonctionnaires qui exécutaient des ordres avec zèle.

La forêt

Mon père a acheté une voiture d'occasion. C'est une Austin[1] rouge au toit et au capot noirs. Son nez arrondi lui donne un air sympathique, comme aux voitures des dessins animés, qui parlent et raisonnent. « C'est pas une voiture, se moquent les 5 enfants de ma rue, c'est un moulin à café ! »

« Vous auriez dû prendre une Opel, dit le fils de mon voisin.

– Mon père n'achète pas de trucs allemands », répond Max en marmonnant. Je ne comprends pas pourquoi il a honte.

Dimanche matin, mon père nous emmène, Simon et moi, 10 faire un tour en voiture. Le ciel est bleu, nous sommes assis sur la banquette arrière. Mon père roule à travers la campagne, jusqu'à un étang où barbotent des canards. Du pont, nous leur jetons des morceaux de pain à travers les barreaux.

Plus tard, nous roulons au hasard, par des chemins de sable, 15 le long de prés où paissent des vaches poussiéreuses. Mon père chantonne. Tout à coup, il ralentit. Il avance la tête vers le pare-brise et freine. À droite du chemin, il y a un fossé. De l'autre côté, on aperçoit l'entrée d'un petit chemin recouvert de broussailles.

20 « Belle forêt », dit-il. Nous hochons la tête. Il fait claquer sa langue. « C'est une belle forêt pour s'enfuir. Touffue et profonde. Ici, ils ne peuvent pas te trouver, aucune chance ! »

Il sort. Nous restons assis et le regardons sauter le fossé. Alors, la forêt l'engloutit. « Qu'est-ce qu'il va faire ? demande 25 Simon d'un ton nerveux.

– Oh ! Rien, juste s'enfuir un peu. » Simon baisse la vitre.

« Je n'entends pourtant rien. Que des oiseaux.

– Quelqu'un qui s'enfuit, on ne l'entend pas, dis-je en chuchotant, s'enfuir, ça se fait sans bruit, sinon ça ne marche pas.

1. ***Austin*** : marque de voiture anglaise

– Et nous alors ? » demande-t-il

Je me mets à sucer mon pouce. Qu'est-ce qu'il en sait, Simon ? Loin, derrière les feuillages mon père court. Il a des brindilles et des coccinelles dans les cheveux. Peut-être ne reviendra-t-il qu'à la nuit tombée, les vêtements déchirés. « Quelle magnifique forêt ! » s'écriera-t-il, essoufflé et en sueur.

Mais le voilà déjà. Il n'est même pas essoufflé.

« Pour vous », dit-il. Par la vitre, il glisse sa main pleine de mûres bien noires.

Alors qu'il s'apprête à démarrer, je dis en poussant un soupir :

« Heureusement qu'ils ne t'ont pas trouvé. »

L'air étonné il se retourne.

« Qui donc ? »

Pink

Je n'ai jamais entendu chanter le père de Nellie. Il ne doit même pas savoir comment faire.

Mon père chante tous les soirs. Après manger quand, l'un après l'autre, nous sortons de table lui, il reste assis. Il entrouvre la bouche et se balance, comme s'il allait puiser sa voix au tréfonds de son corps. Ce n'est qu'au bout d'un moment que le son arrive.

Nous ne comprenons pas ses chansons. Il les a apprises de ses compagnons d'infortune, issus de tous les coins d'Europe, ceux qui ont partagé avec lui une baraque, un châlit [1] ou peut-être un morceau de pain. Ils sont morts, ils ne disent plus rien et

1. ***Châlit*** : voir note 1, p. 19.

ils ne peuvent l'entendre. C'est pourtant pour eux qu'il chante. Ses airs slaves traînants survolent nos têtes, ce n'est pas à nous qu'ils s'adressent.

15 Un après-midi, Simon et moi, nous trouvons un chat tigré, dans l'herbe au bas du talus de la voie ferrée. Il ne peut plus marcher. En le caressant, nous sentons sa colonne vertébrale à travers sa fourrure. Simon va chercher une boîte chez le marchand de légumes et, en la tenant chacun d'un côté, nous apportons le chaton à la maison. 20

« Qu'est-ce que vous voulez que j'en fasse ? dit ma mère. On ne peut pas porter toutes les calamités du monde. »

Nous ne savons pas ce que c'est « les calamités ».

« On peut le garder ?

25 – Jusqu'à ce qu'il aille mieux », répond-elle.

Nous l'appelons Pink. Il plaît à mon père, Pink. « Il me ressemble, quand je suis revenu. J'étais tellement maigre que je n'arrivais plus à lever les pieds. Quand je rencontrais un caillou sur mon chemin, je le contournais. »

30 Pink reprend vite des forces. Pendant le dîner, il s'installe derrière mon père, sur le rebord de la fenêtre, et attend que ce dernier lui donne des morceaux de viande ou de poisson.

Un peu plus tard, quand mon père chante ses chansons, Pink grimpe le long de sa poitrine et met ses deux pattes autour de son cou, dans un abandon total. Il reste dans cette position en ronronnant comme un hors-bord[1]. 35

Heureusement que mon père a Pink, qui comprend plus que nous ne pourrons jamais concevoir.

---

1. ***Hors-bord*** : petite embarcation dont le moteur est fixé à l'arrière, à l'extérieur de la coque.

Le Petit Chaperon rouge

C'est une soirée d'été étouffante. Nous sommes dans le jardin à la nuit tombée et nous fabriquons des « anges à cheval ». Patiemment, nous faisons tourner un bâton au-dessus de la braise d'un feu sans flammes. Au bout de chaque bâton, nous avons enroulé un rectangle de pâte à pain. Dès qu'ils sont cuits, nous mangeons ces morceaux de pain avec du beurre et du sucre. C'est Max qui fait les plus beaux anges. Les miens sont tout fripés.

« Tu nous racontes une histoire ? » demande Simon.

Mon père n'a pas besoin de réfléchir longtemps.

« Tout près de l'endroit où nous construisions une usine, dit-il, il y avait un bois. Dans la journée je l'observais et la nuit, sur ma couchette, j'imaginais les plans d'évasion les plus fous. Si seulement j'arrive à atteindre ce bois sans être vu, me disais-je, je m'en tirerai.

« Peu de temps après, j'appris que le bois dont j'espérais mon salut ne faisait pas trente mètres de long. Juste derrière, se trouvait le chenil où l'on dressait les chiens. Imaginez que j'aie pu m'échapper. J'aurais atterri tout droit dans la gueule de ces bêtes sanguinaires !

« C'était des sales bêtes, vous pouvez me croire. Je les ai vues plus d'une fois mettre un prisonnier en pièces. Avec nos pauvres forces, nous ne pouvions rien contre ces bêtes. Elles étaient d'ailleurs mieux nourries que nous, avec une sorte de biscuit à base d'os broyés et de sang. Ces trucs-là supportaient mal les chocs et il arrivait qu'ils se cassent pendant le transport. Dans une décharge en bordure d'un bois, les camions vidaient les morceaux.

« Nous en raffolions. Pendant que certains d'entre nous attiraient l'attention des gardes SS en faisant tomber une charge de pierres par exemple, les autres rampaient à plat ventre jusqu'au tas de gâteaux pour chiens afin de ramasser les morceaux. C'était dangereux pour les deux parties. Celui qui laissait tomber les pierres était impitoyablement roué de coups. Pour le vol, c'était la corde. À tour de rôle, nous faisions l'un ou l'autre.

« Nous dissimulions la nourriture volée dans des marmites vides, que nous rapportions au camp, à la fin de la journée. Nous y jetions aussi des branches, des pommes de pin, des glands, tout ce qui pouvait brûler, afin d'allumer le poêle dans notre baraque.

« Lorsque le soir, au pas, nous rentrions au camp, les marmites étaient pleines à ras bord. Nous nous arrangions pour que les prisonniers les plus costauds, c'est-à-dire les moins affaiblis, ménagent leurs forces en route. Juste avant d'entrer au camp, ils s'emparaient des lourdes marmites, car ils étaient les seuls à pouvoir les balancer avec nonchalance, comme si elles avaient été vides. Cela se passait au son de la musique de fête que jouait la fanfare du camp à l'entrée [1], et ainsi nous étions accueillis chaque soir comme des fils prodigues [2].

« Une fois dans la baraque, nous faisions ronfler le poêle et mélangions la nourriture pour chien avec de l'eau. Les biscuits étaient complètement pourris et couverts de grosses fleurs de moisi. Dès qu'ils commençaient à bouillir, l'air devenait irrespirable.

« Chacun en recevait une portion dans sa gamelle. Entre deux bouchées, je tenais la mienne à bout de bras pour ne pas vomir. Je me demandais alors pourquoi j'avais risqué ma vie pour une telle saloperie.

---

1. Les nazis avaient formé des orchestres dans les camps et obligeaient les prisonniers à jouer tout au long de la journée, pour accompagner le départ ou le retour du travail, et également le soir pour le plaisir personnel des SS (voir cahier photos, p. 3).

2. ***Fils prodigues*** : référence à la parabole biblique (Évangile de Luc, 15, 11-32) qui désigne le retour célébré d'un fils perdu et retrouvé.

– C'est pas une histoire, ronchonne Simon, déçu. C'est vrai !

– Une histoire ? Comme tu veux ! dit mon père.

60 Le Petit Chaperon rouge se promène avec son petit panier dans la forêt. Tout à coup, un chien méchant surgit du chenil. Bonjour, Petit Chaperon rouge, où t'en vas-tu comme ça ? Je vais chez ma grand-mère, répond le Petit Chaperon rouge. Elle est à l'infirmerie et elle a le typhus [1].

65 – Non, dit Simon, c'est pas la peine. »

Nostalgie

Quand il chante ses chansons, c'est comme s'il regrettait le camp. Qu'est-ce qu'il peut bien regretter ? Il avait des amis, mais ils passaient la plupart de leur temps à transporter des pierres et à pousser des brouettes trop lourdes. Mon père n'avait jamais 5 construit d'usine avant et je ne crois pas qu'il soit près de recommencer, car il soupire encore en y pensant.

Le soir, dans la baraque, il jouait aux échecs avec Alex. « Nous avions fabriqué les pièces avec des pommes de terre volées, dit-il. En les mâchant assez longtemps, on obtient une pâte molle que 10 l'on arrive à pétrir.

« Alex était dentiste à Berlin. Avant la guerre, des hommes de la SA [2] avaient fait irruption dans son cabinet. Ils avaient tout saccagé et avaient jeté Alex par terre. “Tu es dentiste ? avaient-ils dit. Eh bien, nous allons te donner du travail.” Chaussés de leurs

---

1. ***Typhus*** : maladie infectieuse et contagieuse qui se manifeste par des rougeurs et une fièvre intense.

2. ***SA*** : voir lexique, p. 121.

15 bottes, ils lui avaient piétiné la tête. Depuis, Alex avait la mâchoire de travers et il ne lui restait plus que quelques dents. »

Alex et mon père faisaient ensemble de grands projets. Sur des bouts de papier, ils concevaient un modèle spécial de moto. Ils avaient décidé de survivre au camp et d'émigrer ensuite au 20 Brésil, pour commercialiser leur moto et faire fortune. Pourquoi le Brésil ? Je n'en sais rien, c'est peut-être un bon pays pour la moto. Peu importe, Alex n'a pas tenu ses promesses. Il est mort du typhus [1], à l'infirmerie, bien avant la libération.

Au camp, les amis étaient rares. Par contre, les ennemis y pul-25 lulaient.

« J'ai reçu plus de raclées des Polonais que des Allemands, dit mon père.

– Est-ce que les Polonais n'étaient pas prisonniers ? demande Max.

30 – Si, mais ils faisaient tout pour se faire bien voir des SS. Des lèche-bottes, comme les Ukrainiens [2]. Pour une ration de soupe, ils auraient achevé leurs meilleurs camarades. »

Ma mère le regarde en colère.

« Tu n'as pas le droit de dire cela.

35 – Qu'est-ce que je n'ai pas le droit de dire ?

– Que les Polonais et les Ukrainiens étaient mauvais. Il faut dire : les Polonais que j'ai rencontrés, les Ukrainiens que j'ai rencontrés. »

Sur le bord de la table, mon père serre les poings.

40 « Mais bien sûr, réplique-t-il d'un ton hargneux, prends donc la défense de cette racaille ! »

Dès qu'il desserre les poings, ses mains se mettent à trembler. Puis ses épaules et ses joues tremblent aussi. Ce sont peut-être ses ennemis qui lui manquent le plus.

---

1. ***Typhus*** : voir note 1, p. 55.

2. Référence aux divisions entre Polonais, Ukrainiens et Juifs, utilisées par les SS dans l'organisation du camp pour contrôler avec un effectif réduit des milliers, voire des dizaines de milliers de déportés.

Les scouts

Le mercredi après-midi, Nellie ne vient pas jouer. Elle va aux louveteaux [1]. Dès qu'elle a terminé ses tartines, elle met son uniforme. La jupe et le chemisier ne me plaisent pas, les chaussettes, par contre, sont magnifiques : elles sont ornées d'un pompon sur le côté.

Lorsque Nellie porte son uniforme, elle a une autre allure et se conduit différemment. « Regarde », lui dis-je en montrant ma toupie du doigt. Dessus, j'ai dessiné des cercles avec des craies de couleur, quand elle tourne vite, ils se mélangent.

« Je n'ai pas le temps, dit Nellie. Je vais aux louveteaux. » En passant, elle donne un coup de pied à ma toupie qui roule dans le caniveau.

Je lui crie en lui courant après :

« Qu'est-ce que tu vas faire là-bas ? » Elle se retourne et hausse les épaules. « Chanter des chansons, chercher des pistes, de tout. Demande à ta mère si tu peux devenir membre, ça coûte presque rien. »

Le soir je demande : « Je peux m'inscrire aux louveteaux ? Nellie en fait partie, ça ne coûte presque rien.

– Pas question, dit ma mère, même si on me payait. »

J'insiste.

« Mais on chante et on cherche des pistes.

– Nous ne participons pas à ce genre de choses. Des chansons, tu peux en chanter à la maison. Et chercher des pistes, c'est bon pour les chiens de chasse. »

Mon père lève le nez.

« Qu'est-ce que c'est ? demande-t-il.

---

1. ***Louveteaux*** : nom donné aux enfants âgés de 8 à 12 ans faisant partie des scouts.

– Un genre de scouts », répond-elle.

Il referme son livre.

30 « Bien avant la guerre, me dit-il, je campais un été à Terschelling [1]. Chaque fois que je partais avec mes jumelles pour observer les oiseaux, je voyais les garçons des Jeunesses hitlériennes [2]. Sur la plage, ils s'entraînaient au combat. Et avec qui s'entraînaient-ils ? Avec des scouts néerlandais ! De beaux gars 35 entre eux, bonne ambiance. *Entrollt die Fahnen, blutgetränkt* [3] *!* (Déroulez les fanions [4] trempés de sang). » Il me caresse la joue. « Et tu voudrais faire partie de ça, toi ?

– C'était juste pour les pompons », dis-je en bougonnant.

Le lendemain j'annonce à Nellie :

40 « Je n'ai pas le droit de m'inscrire aux louveteaux.

– Dommage, dit-elle, tu rates plein de choses : des films, des jeux de piste par exemple. Et le camp. »

Je répète les yeux écarquillés : « Le camp ? »

Les oies

Il les entend de loin. Je ne sais pas comment il fait. Dans le salon, la radio est allumée et dehors des trains passent, mais il lève le nez de son livre et sort dans la rue. En chaussettes, nous lui courons après.

5 Un vol d'oies sauvages passe au-dessus de nos têtes en criaillant. Nous les suivons du regard jusqu'à ce qu'elles

---

1. ***Terschelling*** : île néerlandaise de la province de Frise.

2. ***Jeunesses hitlériennes*** (*Hitlerjugend*) : voir lexique, p. 120.

3. Référence à une chanson guerrière du cahier de chansons des Jeunesses hitlériennes.

4. ***Fanions*** : petits drapeaux.

deviennent invisibles et nous nous appuyons tout étourdis contre la façade de la maison. Mon père, lui, ne chancelle pas. Bien d'aplomb sur ses jambes, il continue à fixer le ciel longtemps après que les oies ont disparu. Puis il rentre. Il embrasse ma mère et rit.

« Pourquoi elles crient les oies ? demande Simon.

– Parce que personne ne peut le leur interdire, dit mon père.

– Et qu'est-ce qu'elles crient ?

– Elles crient : Nous allons où nous voulons, nous allons où nous voulons ! »

Ma mère secoue la tête et rectifie.

« Les oies criaillent parce que sinon elles risqueraient de se perdre ou de se cogner les unes contre les autres. »

Nous préférons la réponse de mon père. Sur le canapé, nous nous serrons contre lui.

« Au camp, à l'automne, on voyait aussi des oies, raconte-t-il. Au petit jour, elles nous survolaient, pendant l'appel. Sur la place, les SS nous comptaient, pas une fois, mais dix fois, vingt fois. Parce que le compte n'y était pas, ou pour nous exaspérer. Pendant des heures, il fallait rester au garde-à-vous, on avait faim et on était à moitié gelés. Alors quand un vol d'oies passait sur nos têtes, on pensait : un jour viendra, peut-être, où nous serons libres comme elles. Il fallait continuer à y croire, envers et contre tout. »

Ses doigts tambourinent sur ses genoux.

« Mais il arrivait aussi que cela nous désespère, de voir que la vie suivait son cours, tout simplement. Que les oies continuaient à voler, l'herbe à pousser, que le soleil se levait et que la terre continuait à tourner, comme si de rien n'était. » Il pousse un soupir. « Même la taupe sous la terre ou les poux sur ma tête étaient plus libres que moi. » Simon acquiesce.

« Si tu avais été une taupe, tu aurais pu creuser un tunnel pour sortir du camp ! » dit-il, tout excité.

Dans la classe, sur une affiche accrochée au mur, on peut lire : « Au pays de l'herbe et de la prairie. » Toutes sortes d'animaux y sont représentés. On y voit aussi une taupe, une toute noire, avec des poils sur le nez. Les pattes de devant, qui ressemblent à des mains, ont de longs doigts roses. Je demande : « Est-ce que les taupes n'ont pas d'oreilles ?

45 – Si, répond la maîtresse, mais elles sont si petites qu'on ne peut pas les voir. De grandes oreilles les gêneraient pour creuser. Pour cela, la taupe doit avoir une forme fuselée[1]. »

Tout le problème est là. Mon père n'est pas assez fuselé et il serait resté coincé sous la terre à cause de ses oreilles. En plus, 50 une fois taupe, il aurait dû le rester. Sorti du camp, comment serait-il rentré à la maison ? Et est-ce que ma mère l'aurait reconnu ? « Bonjour, Jochel. Comme tu as changé ! »

Non, les choses ne sont pas aussi simples qu'elles en ont l'air.

Willi

Quand Nellie va aux W.-C., elle regarde entre ses jambes. Elle croit qu'un crocodile attend dans l'eau pour la mordre. Moi, je n'ai pas peur des crocodiles. J'ai peur de la vermine[2]. C'est de Willi Hammer[3] que j'ai le plus peur.

5 « Willi était un *Kapo*[4], dit mon père. Avec son casier judiciaire on aurait eu de quoi tapisser deux fois cette pièce. Un criminel allemand, spécialisé dans le viol de mineurs, mais expert aussi dans les simples agressions et les assassinats. Il devait avoir la

---

1. ***Fuselée*** : fine et mince aux extrémités, en forme de fuseau ou de fusée.
2. ***Vermine*** : désigne les insectes parasites de l'homme et des animaux. Dans les camps, ces parasites transmettaient des maladies mortelles.
3. ***Willi Hammer*** : voir note 3, p. 17.
4. ***Kapo*** : voir lexique, p. 120.

cinquantaine à peu près. Chauve, front bas et bigle[1]. L'homme
10 de Neandertal[2] qui louche. Il portait une chaîne, avec au bout une boule de plomb de la taille d'une grosse balle de ping-pong. Sans crier gare, il se mettait à taper avec sur n'importe quel prisonnier, jusqu'à ce que mort s'ensuive. Tout le monde tremblait devant lui.

15 « Certains, des comme ça, il y en a toujours, essayaient de se faire bien voir, des comme ça, il y en a toujours. Il les obligeait à voler et à coucher avec lui. Dès qu'il se lassait d'eux, leurs heures étaient comptées. Je me souviens d'un jeune Russe qui travaillait dans le potager, où il chapardait des tomates pour lui.
20 Pendant un mois, il a été dans les bonnes grâces de Willi, qui l'appelait *Liebchen* (chéri). Une nuit nous avons entendu le garçon pris de panique hurler :

« "Je t'en prie, ne m'envoie pas à la chambre à gaz !

– Pour qui tu me prends ? a répondu Willi. La chambre à
25 gaz, c'est anonyme. Je tiens trop à toi, *Liebchen*. C'est de mes propres mains que je vais t'anéantir !"

« Cet homme appartenait à une espèce des plus viles[3], du niveau d'un champignon puant. Ce genre d'individus incultes faisait carrière au camp. Nous étions livrés à cette vermine. Tout
30 ce qu'il avait subi, partout où il avait échoué, toutes ses humiliations, tous ses échecs, il nous les faisait payer. Personne ne nous en a fait autant baver que Willi Hammer.

« Moi, il m'avait pris en grippe. Dans ses propres termes cela donnait : "*Für dich interessier'ich mich aber!*" "Toi, tu
35 m'intéresses !"

« Dans la pratique, voilà ce que cela signifiait : chaque soir, après le travail, il me prenait à part et il me rouait de coups. La

---

1. ***Bigle*** : qui louche.
2. ***L'homme de Neandertal*** : homme préhistorique, longtemps considéré comme une sous-espèce de l'homme moderne. L'expression désigne ici le caractère brutal de Willi.
3. ***Viles*** : méprisables.

boule de plomb, il la laissait dans sa poche, il se servait de ses poings. De sa part, c'était autant un compliment qu'une marque d'affection.

« Les autres prisonniers, il les envoyait sans merci dans l'autre monde, mais quand c'était moi qu'il avait entre les mains, frapper devenait tout un art. Avec soin, il visait et touchait les endroits les plus sensibles. Quand il était arrivé à me mettre K.-O., il faisait une pause. Parfois, il fumait une cigarette ou se limait les ongles, pendant que je me relevais péniblement et me mettais immédiatement au garde-à-vous. Je restais impassible. D'instinct, je savais que, s'il en était autrement, il perdrait tout intérêt pour moi et taperait alors jusqu'à ce que je ne me relève plus.

« Au début, je me suis mordu les lèvres jusqu'au sang pour me maîtriser. Ensuite, j'y suis arrivé sans effort. Je le méprisais. Il me faisait mal, certes, mais même à la douleur, il y a des limites. Je lui étais supérieur. C'est pourquoi il me haïssait, c'est pourquoi il me frappait et c'est pourquoi il ne pouvait se passer de moi. Qu'aurait-il fait sans moi ? Je lui donnais un but dans la vie, il était aussi dépendant de moi que je l'étais de lui. »

Mon père regarde ses mains et secoue lentement la tête.

« Finalement, il y est arrivé. »

Inquiète, je demande : « À quoi ?

– À quoi ? » répète Simon. Mais il ne répond pas.

« Une telle vermine, dit mon père, une telle vermine. »

Ugh

Presque tous ses livres parlent des Indiens. Ce sont surtout les noms des chefs qui nous intéressent : Faucon noir, Cheval fou, Dix ours, Nuage rouge.

À la télévision, nous regardons des films de cowboys, où des Indiens poursuivent un train à vapeur ou une caravane. Ils crient « Youou, Youou » et brandissent sauvagement leurs haches. Parfois, ils attaquent un fort pour scalper les visages pâles.

Les femmes des visages pâles essayent de s'enfuir, mais elles se prennent les pieds dans leurs jupes longues. Ils les emmènent dans le village indien et les attachent à des totems. Nous avons pitié d'elles, mais mon père dit que c'est bien fait.

« Avant, explique-t-il, toute l'Amérique appartenait aux Indiens. Certaines tribus vivaient de poissons, d'autres de viande de bison, il y avait de la nourriture et de la place pour tout le monde. Jusqu'à ce que les colons arrivent et chassent les Indiens.

« "Pourquoi nous chassez-vous ? demandèrent les Indiens. Nous habitons ici depuis toujours, nos ancêtres sont enterrés là.

« – Ne croyez pas que cela nous amuse, dirent les colons, mais il n'y a pas d'autre solution. Nous avons besoin d'espace vital. Beaucoup d'espace vital. Vous allez être déportés sur d'autres territoires. Il n'y pousse pas grand-chose et il y a moins de bisons, mais vous vous habituerez. Il faudra serrer les dents au début, c'est tout."

« Les Indiens ont serré les dents et ils ont fait un long voyage à pied vers leurs nouveaux territoires. Ils avaient à peine planté leurs tentes et allumé leur feu que les colons étaient là de nouveau.

« "Poussez-vous, crièrent-ils, nous allons faire passer une ligne de chemin de fer à travers vos terrains de chasse. Dépêchez-vous de plier vos tentes, parce que ici il va y avoir une gare et peut-être une église et des maisons."

« Finalement, les Indiens ont été expulsés et mis dans des réserves : des ghettos, où ils tombèrent malades de tristesse. C'est alors qu'un pasteur blanc arriva et leur distribua des bibles. "Vous êtes malades ? dit le pasteur. Il faut prier Jésus.

« – Nous adorons déjà un Dieu, expliquèrent les Indiens. C'est le Grand Souffle. C'est grâce à lui que le soleil se lève et que l'herbe pousse.

« – Jésus est plus puissant, dit le pasteur, Jésus guérit.

40 « – Ah oui ? demandèrent les Indiens. Est-ce qu'il ne pourrait pas vous guérir ? Vous faites de fausses promesses, vous nous volez nos terres, vous profanez nos tombes et exterminez notre peuple. Vous êtes bien plus malades que nous." »

Max, Simon et moi ne nous étions pas aperçu que les cow-
45 boys étaient, en fait, des SS. C'est sans doute parce qu'ils ne parlent pas allemand et qu'ils portent des chapeaux de cowboys.

La nuit je rêve que mon père est le chef des Indiens. Il s'appelle Loup Évadé. En caleçon, il galope à travers la prairie. Les cicatrices sur sa poitrine sont peintes en rouge vif et en bleu.
50 Il chante des chansons slaves à tue-tête. Devant lui, sur le cheval, Pink pousse des miaulements épouvantables. Ils sont la terreur du Far West.

Silence

Quand il entre, ma mère vient juste de poser un bol de yaourt devant nous. Il reste debout au milieu de la pièce et fouille longuement dans ses poches, comme s'il avait perdu quelque chose. Et puis il la regarde.

5 « J'ai rechuté », dit-il. Elle hoche la tête.

« Mais ils ne vont pas ouvrir cette fois, ajoute-t-il rapidement. Je n'aurai qu'à rester allongé. »

Elle se lève et se dirige vers la cuisine. Il la suit de près et ferme la porte. Nous écoutons. Même Pink, qui était en train de
10 faire sa toilette sur le rebord de la fenêtre, dresse l'oreille et montre le bout de sa langue.

Derrière la porte, c'est le silence. Nous attendons, sans savoir quoi. Que faire ? Nous ne pouvons pas rester à table éternellement, mais nous ne pouvons pas nous lever non plus. En fait, nous ne devrions pas être là.

Au bout d'un moment, Simon plonge sa cuiller dans son yaourt.

« Silence ! lance Max entre ses dents. Papa a rechuté !

– Et alors, je n'ai pas le droit de manger mon yaourt ? demande Simon.

– Non. »

La cuiller à la main, Simon reste immobile. Aucun de nous ne bouge, comme au palais de la Belle au bois dormant, où tout le monde est endormi.

Quand il commence à faire nuit, ma mère rentre dans la pièce. Son chignon est de travers et son corsage pend sur sa jupe. Elle nous précède dans l'escalier.

Elle ne nous dit même pas de nous brosser les dents, elle s'assoit sur le lit de Simon et se met à pleurer. En sous-vêtements, nous l'entourons. Max pose la main sur son épaule.

« Ne pleure pas, dit-il, je suis là. »

Elle essuie ses larmes. Des épingles à cheveux tombent sur le plancher.

Pendant qu'elle me borde, je demande : « Est-ce que papa doit retourner au camp ?

– Non, il est malade et ici, avec nous, il ne peut pas guérir. Il va aller ailleurs pour se rétablir. Quand il ira mieux, il reviendra à la maison.

– Il me manque déjà, lui dis-je.

– Il faut toujours se dire que demain tout ira mieux. »

Je ferme très fort les yeux. Demain, tout ira mieux, mais je voudrais dormir cent ans. Quand je me réveillerai, mon père sera revenu. Il y aura des guirlandes dans la pièce et nous mangerons des gâteaux.

45 «Au camp, dira-t-il, on me donnait du pain à la sciure.» Il rira. Il ne partira plus jamais.

Histoire d'épouvante

Je demande à Simon : «Qu'est-ce que c'est la tuberculose[1] ?» Nous sommes en train de chercher Pink qui ne s'est plus montré depuis le jour où mon père est parti au sanatorium[2].

«Une maladie aux poumons, dit Simon. On l'attrape par des 5 bacilles[3], des toutes petites bêtes, que papa a avalées au camp. Il mangeait même de l'herbe. Quand on a faim, on mange de tout.»

Avec dégoût, je regarde l'herbe rêche qui recouvre le talus.

«Pas moi.»

10 Simon rit.

«Attends un peu, quand il y aura la guerre, tu seras bien contente d'avoir une assiette d'herbe.

– Il n'y aura pas la guerre !

– Si, dit Simon, on le sent, c'est tout.»

15 Je ne sens rien.

Je demande quand même, on ne sait jamais : «Elle commence quand ?»

Mon frère hausse les épaules. «Demain après-midi ? La semaine prochaine ? Peut-être qu'elle a déjà commencé, on ne 20 sait jamais avec les guerres.

– Et qu'est-ce qu'on fait si elle commence ?

---

1. ***Tuberculose*** : voir note 4, p. 14.
2. ***Sanatorium*** : voir note 5, p. 14.
3. ***Bacilles*** : voir note 2, p. 15.

– Je viens de te le dire : on se cache dans la cave et on mange de l'herbe. »

La cave est toute noire et sent l'humidité.

« Combien de temps il faudra y rester ?

– Un an, je suppose, dit Simon, mais il se peut que ce soit plus long, rappelle-toi la guerre de quatre-vingts ans. Avant de se cacher, on ramassera un plein sac d'herbe.

– Un seul, ça suffira ?

– Deux alors, ou trois. Quand l'herbe sera finie, on tuera Pink. »

J'imagine Pink allongé au soleil, sur le rebord de la fenêtre. J'en ai la gorge serrée.

« Tu en es sûr ? »

Simon hoche la tête.

« Avec un couteau, dit-il, j'en suis sûr.

– Maman ne sera jamais d'accord.

– Elle sera bien obligée, c'est une question de survie. En temps de guerre, les hommes passent avant les bêtes. D'ailleurs, estimons-nous heureux d'avoir un chat. Les voisins, ils ont un canari. Pas beaucoup à manger ! »

Ce ne sont pas les voisins qui me font pitié, c'est Pink. Les larmes me viennent aux yeux. Simon me prend par les épaules.

« Ça m'embête autant que toi, dit-il, mais nous n'avons pas le choix. Tu verras que ce n'est pas si terrible que ça. Le chat, ça a le même goût que le poulet, on ne sent pas la différence. »

Je le repousse en sanglotant.

Le cœur gros, je rentre à la maison. En arrivant au salon, je vois ma mère assise à la table avec Pink sur les genoux.

« Allons, ne pleure plus, dit-elle gentiment, tout en caressant la tête tigrée du chat, il est revenu. »

À travers mes larmes, je suis les mouvements de sa main. Je hais ma mère. On dirait la sorcière de la petite maison en sucre

qui tâte Hansel[1] pour s'assurer qu'il est assez gras pour passer
55 à la casserole. Je suis là, impuissante. « Gretel pleurait à chaudes larmes », c'est ce qui est écrit dans le gros livre de Grimm, « mais cela ne lui servit à rien ».

Une requête

Dans sa chambre, il fait froid. Bien qu'il ait neigé, la fenêtre est grande ouverte.

« Bonjour, Jochel ! » dit ma mère en sortant des livres et des vêtements propres de son sac.

5 Mon père porte une grosse veste sur son pyjama. Je n'ai pas le droit de l'embrasser, mais je peux m'asseoir sur le lit surélevé, poussé tout près de la fenêtre. Du doigt, il montre.

« Chaque jour, je jette des noisettes aux mésanges. Elles entrent même dans la chambre, des fois je leur donne à manger
10 sur mon lit. »

Sceptique, je demande :

« Ici ?

– Oui, regarde, elles ont tiré des petits fils du couvre-lit. Elles sont apprivoisées, elles me mangent presque dans la main. »

15 Je regarde les noisettes sur le rebord de la fenêtre et les sapins enneigés, au loin. Je suis fière de mon père. Les mésanges ne s'approchent pas des gens qui ont des petites bêtes dans les poumons, elles s'en gardent bien. Mais sur son lit à lui, elles se bousculent pour manger dans sa main.

---

1. ***Hansel*** : référence au conte de Grimm *Hansel et Gretel*, dans lequel deux enfants abandonnés dans la forêt par leur père sont capturés par une sorcière qui veut les manger. À la fin de l'histoire, Gretel parvient à pousser la sorcière dans le four et à s'enfuir avec son frère.

Après la visite, dans le couloir, une infirmière s'approche de nous. Elle me caresse les cheveux et prend ma mère en aparté.

« Votre mari souffre d'insomnies, dit-elle, il se promène des nuits entières, nous n'arrivons pas à le recoucher au lit. Et quand enfin il dort, il a des cauchemars. Il hurle si fort que tout le pavillon l'entend. Quand nous arrivons, il est en train de se battre avec ses couvertures. » Elle gesticule. « Il tord son oreiller et ne le lâche pas, comme s'il étranglait quelqu'un, dit-elle sur un ton de reproche, le manque de sommeil et l'excitation lui font du mal. De plus, il transpire et après il se refroidit. » Ma mère hoche la tête. « À la maison c'est pareil.

– Dans ce cas, dit l'infirmière, vous auriez dû nous prévenir afin d'éviter tout malentendu. »

Ma mère baisse les yeux, puis elle attrape l'infirmière par la manche.

« Mon mari a le camp.

– Le camp ? » répète l'infirmière, le sourcil interrogateur. Dans ce long couloir, le mot résonne.

« Le camp de concentration. C'est pour ça, les cauchemars. À la maison, il n'en a pas toutes les nuits. Mais ici, dans un environnement inconnu. Et puis nous lui manquons terriblement. Pourriez-vous tenir un peu plus compte de lui ?

– Le camp de concentration, dit l'infirmière. Nous pouvons lui donner un somnifère, bien sûr. Nous faisons de notre mieux. »

Dans le train, je dis :

« Moi aussi, je voudrais avoir des mésanges sur mon lit ! »

Ma mère ne réagit pas. Son regard s'évade par-dessus ma tête, au-dehors.

« Elles font de leur mieux, dit-elle, elles font de leur mieux. »

Le dé à coudre

«Tu t'étais bien caché pendant la guerre?» demande Max à mon père.

Il est sur son lit, penché en avant, pendant que ma mère secoue ses oreillers. Il acquiesce.

5 «D'abord à la campagne, dit-il, et après en ville, dans une maison place Adelbert-Kennis.

– Adelbert Kennis, qui c'était?

– Aucune idée, je ne le connais que comme statue. En bronze. Les femmes du quartier enlevaient régulièrement les 10 crottes de pigeons de sa tête et de ses épaules. Adelbert a survécu à la guerre, toujours impeccable. On ne lui a pas touché un cheveu de la tête.

– Où est-ce que tu t'étais caché?

– Derrière la trappe d'une soupente[1]. On ne pouvait pas se 15 tourner. Je sortais parfois la nuit et, exceptionnellement, dans la journée. Mais le plus souvent, j'étais dans ma cachette, comme un géant dans un dé à coudre.

– C'était si petit que ça?

– À peu près comme le placard au-dessous de l'évier, à la 20 maison, mais plus haut. Il y avait un matelas d'enfant, qui tenait tout juste.

– Et qu'est-ce que tu faisais?

– Je regardais les tuiles du toit et je pensais aux jambes de maman.

25 – Tout le temps?

– Quand je ne pensais pas à ses jambes, je lisais. Les gens qui me cachaient allaient pour moi toutes les semaines à la

---

1. ***Soupente*** : espace réduit et aménagé situé sous un escalier ou sous les toits.

bibliothèque. Ils m'apportaient les livres les plus curieux, tout me convenait.

30 – Ils te donnaient aussi à manger ?

– Ils n'avaient pas grand-chose, mais ce qu'ils avaient, ils le partageaient. Lui, il était docker[1]. Il portait une moustache et avait des mains énormes. Je me souviens surtout du repas de Noël. Des semaines à l'avance, il avait annoncé que, pour Noël, 35 il aurait un lapin, clandestinement, bien sûr. Il était tellement content qu'il le raconta à tout le monde. Noël arriva. On fit rôtir le lapin, je le sentais de ma soupente, l'eau me venait à la bouche. L'après-midi on sonna. Je regagnai ma cachette et attendis que les visiteurs soient partis. J'étais à peine sorti qu'on 40 sonna de nouveau. Cela continua ainsi jusqu'au soir. Il avait fait trop de réclame pour son lapin, tout le quartier vint y goûter. Finalement, il ne resta pour moi qu'une pauvre petite patte avec un minuscule morceau de viande. J'ai sucé l'os pendant des jours. »

45 À peine rentrés du sanatorium[2], ma mère nous envoie nous coucher, mais je vais vite à la cuisine et ouvre le placard sous l'évier. L'odeur de chiffon humide me saute au nez. Je m'accroupis. Mon père est là, en travers, contre l'égouttoir, avec la lavette dans le cou. Il pense aux jambes de ma mère. Tout content, il 50 brandit un os de lapin. Je lui fais coucou moi aussi. « Bonne nuit, papa. »

---

1. ***Docker*** : ouvrier qui travaille au chargement et au déchargement des navires.
2. ***Sanatorium*** : voir note 5, p. 14.

Les baraquements[1]

« Où est passée l'étable ? » demande ma mère.

Mon père prend un air désolé.

« J'avais caché des noisettes dans la paille, pour les mésanges, dit-il, elles sont entrées dans la chambre et elles ont mis l'étable sens dessus dessous, avec la crèche et tout. C'est à ce moment-là qu'Everharda, l'infirmière, est entrée. Elle a poussé un cri et a voulu savoir ce qui se passait. J'ai dit : "Ben ! Ces petites bêtes ne sont pas croyantes apparemment." Alors, vexée, elle a emporté l'étable. Heureusement, mon ange est encore là. »

Au-dessus de lui, il nous montre une branche de sapin à laquelle un ange en plâtre est suspendu par un ruban. La bouche est mal peinte. Le rouge n'est pas sur les lèvres mais au-dessus. C'est un ange qui saigne du nez. Il tient à la main un fanion[2] poussiéreux sur lequel est écrit : « Gloria[3]. »

Simon ne dit pas un mot. Il ne veut pas s'asseoir sur le lit, mais se tient debout à côté et regarde mon père fixement. Max arpente la pièce en faisant la moue. Il fait glisser ses pieds l'un après l'autre sur le linoléum[4] gris.

« Et si vous alliez faire un tour dehors ? propose ma mère. Toi aussi Simon. Mais surtout écoute bien Max. »

Par une large allée de dalles, nous nous dirigeons sans enthousiasme vers le bois situé derrière le sanatorium[5]. Nous

---

1. ***Baraquements*** : constructions provisoires, souvent en bois. Le mot est employé dans le registre militaire pour désigner les bâtiments qui servent à loger les troupes.
2. ***Fanion*** : voir note 4, p. 58.
3. ***Gloria*** : signifiant « gloire », ou « gloire à Dieu », le Gloria est une prière chrétienne prononcée au début de la messe.
4. ***Linoléum*** : voir note 2, p. 38.
5. ***Sanatorium*** : voir note 5, p. 14.

passons devant une pelouse couverte de neige, où sont disposées des cabanes en bois aux toits inclinés, elles sont construites en demi-cercle. Elles semblent abandonnées, ce qui ne m'étonne pas, car elles n'ont que trois murs et sont ouvertes d'un côté, comme la maison de poupée à l'école. Qui voudrait habiter dans une maison où il neige ? Max s'y dirige d'un pas décidé, mais Simon me retient.

« Non, crie-t-il à Max, ce sont des baraquements ! »

Main dans la main, nous attendons au bord du terrain, tandis que Max entre dans la maison la plus proche. En connaisseur, il tâte le bois. Avec souplesse, il saute sur le plancher pour en estimer la qualité. Simon a les joues trempées de larmes. Je retiens mon souffle. « Pleurnicheur ! » dit Max tandis qu'il revient indemne. Il donne une grande claque dans le dos de Simon qui tombe dans la neige.

Un peu plus tard, mon père explique à Max : « Dans ces pavillons, on installe des patients l'après-midi, pour qu'ils prennent l'air. C'est ingénieux. Les lits, sur un socle, peuvent s'orienter de façon à être à l'abri du vent. On peut en mettre quatre. »

Max nous regarde, Simon et moi, d'un air méprisant.

« Des baraquements ! murmure-t-il. Des baraquements ! »

La bâche

« Les meilleurs moments que j'ai passés, c'était chez Jef, dit-il. Nous étions cinq à nous cacher dans sa ferme, au bout du monde. Là-bas, je m'appelais Bart. »

La brise entre par la fenêtre. Mon père est assis sur son lit avec une écharpe autour du cou. Des mèches noires dansent devant ses yeux.

« Jef n'était pas bavard. Mince, mais dur à la tâche, légèrement voûté, la casquette de travers. Un après-midi, alors que nous étions dans les champs, nous avons entendu un avion passer au loin. Jef me demanda : "Bart, j'aimerais bien que tu m'expliques comment ce truc arrive à rester en l'air."

Il retourna sa houe et posa le menton sur le métal. Il pouvait écouter pendant des heures. Quand il voulait savoir quelque chose, il prenait tout son temps. Et il voulait tout savoir, tout. Alors que l'Europe était à feu et à sang, Jef, appuyé sur son outil, posait des questions sur le principe de la pesanteur ou sur Louis Pasteur [1].

Par mesure de sécurité, nous dormions dans une fosse que l'on avait creusée dans le bois. Au printemps et en été, il n'y avait pas de problème, mais avec l'automne, les averses arrivèrent. Notre fosse se remplit, il nous fallait une bâche pour la couvrir.

"Je n'en ai pas, dit Jef, allez demander à Vermeulen."

C'était un paysan du coin, qui avait été à l'école avec Jef. Il nous connaissait. Tous les dimanches, dans ses plus beaux habits, il venait nous rendre visite. Les deux hommes échangeaient des souvenirs et, dans ces moments-là, même Jef riait.

Vermeulen possédait en effet un morceau de bâche. Elle était par terre dans l'étable et elle était loin d'être neuve, mais elle nous servirait malgré tout.

"Ça fera combien ? demandai-je.

– Quatre cents florins [2]", dit-il. C'était une somme exorbitante pour une vieille bâche, nous ne disposions pas d'autant d'argent.

---

1. ***Louis Pasteur*** (1822-1895) : biologiste français, célèbre pour avoir mis au point le vaccin contre la rage.
2. ***Florins*** : ancienne monnaie des Pays-Bas.

35 “Alors ?” demanda Jef le soir.
Je secouai la tête.
“Trop cher.
– Combien il en voulait ?
– Quatre cents florins.”
40 Les choses en restèrent là, jusqu'au dimanche suivant, quand Vermeulen vint nous rendre sa visite dominicale. Jef l'attendait devant la porte. “Vermeulen, dit-il calmement, si tu remets une seule fois les pieds ici, je lâche les chiens.”

Peu de temps après, pendant la nuit, nous avons entendu des 45 Allemands dans le bois. Trois d'entre nous ont été pris. Dans l'obscurité, je me suis sauvé dans un pré. J'ai plongé dans la première meule de foin que j'ai trouvée et je suis tombé sur le soc [1] de la charrue qui se trouvait sous la paille.

– C'est de là que viennent les cicatrices sur tes jambes ? 50 demande Max.

– Oui, fait mon père. J'ai sauté droit sur les lames. »

Il se laisse retomber sur ses oreillers.

« En ce qui me concerne, ils n'ont pas besoin de marteler leurs épées pour en faire des socs de charrue. Je préfère ne pas y 55 penser. »

Retrouvailles

Ma mère porte une jupe neuve. Il y a des coquelicots dessus. Ils dansent quand elle bouge, comme les coquelicots parmi les herbes hautes au bas du talus de la voie ferrée.

1. ***Le soc*** : la lame de la charrue.

Nous avons mis un ruban rouge au cou de Pink et fait un joli nœud. Intrigué, il en mordille les extrémités.

« Allons, dit ma mère, Pink est assez beau sans cela. »

En sortant de l'école, nous courons tout de suite à la maison. Ma mère est dans la rue, elle regarde au loin, la main en visière.

« Je me demande où il peut bien être », dit-elle. Nous nous mettons à côté d'elle et fixons le même point qu'elle à l'horizon, comme si nos regards rassemblés pouvaient le faire apparaître. Voyant que cela ne marche pas, nous commençons à nous ennuyer. Nous faisons de grands cercles avec les bras, nous nous bousculons, nous asseyons sur le bord du trottoir et nous relevons sans entrain.

« On peut prendre un morceau de gâteau en attendant ? » dit Max d'un ton geignard. Ma mère fait non de la tête.

« Pink a léché toute la crème. Il s'est empiffré jusqu'aux oreilles et à présent, repu, il digère sur le rebord de la fenêtre. Si on le pinçait, la crème lui sortirait par le nez. On pourrait ainsi restaurer le gâteau, mais ça n'est pas très ragoûtant [1] !

– Beurk ! fait Max.

– J'avais une cloche à gâteau, dit ma mère, avant que tu t'en serves pour attraper des têtards. »

Nous continuons à attendre jusqu'à ce que le soleil roule derrière la voie ferrée, comme un gros bonbon acidulé. C'est alors qu'au milieu de la rue déserte, mon père apparaît. D'où sort-il tout d'un coup ? Avec son visage et ses épaules inondés de soleil, on dirait le prophète Élie [2], descendu du ciel dans un char flamboyant. Nous sommes aveuglés et n'avons même pas la force de lever le bras pour le saluer.

---

1. ***Ça n'est pas très ragoûtant*** : c'est peu appétissant.
2. ***Prophète Élie*** : prophète d'Israël du IXe siècle av. J.-C., qui annonce le Messie et la fin des temps.

« Tu recommences à fumer ? » demande ma mère sur un ton de reproche. Nous sommes assis dans le jardin, sous les peupliers, où le gazouillement des oiseaux s'est tu.

35 « J'ai acheté toute une cartouche, dit-il en montrant sa valise posée dans l'herbe. Lorsque mon train est arrivé, ce matin, j'ai été pris de panique. Je ne sais pas ce qui m'a pris. Toute la journée, j'ai fait les cent pas sur le quai en fumant des cigarettes. J'ai laissé partir les trains, les uns après les autres. Je n'osais pas 40 monter, tout simplement. C'est fou, hein ? »

Ma mère, qui est sur le point de verser le café dans les tasses, serre la cafetière contre elle. Les coquelicots sur sa jupe retiennent leur souffle. « Regardez ! » s'écrie Max. Pink se tient debout, dressé de tout son long contre la fenêtre, et il gratte la 45 vitre comme s'il voulait se frayer un passage.

« Allez vite ouvrir la porte », dit ma mère.

Max et Simon se précipitent. Peu après, Pink bondit dans les bras de mon père.

« Salut, l'ami, dit-il, j'arrive un peu plus tard que prévu. »

Le ciel

« Pourquoi n'allez-vous jamais à l'église ? demande Nellie. Vous n'êtes rien ?

– Je crois que non.

– Vous ne croyez pas à la Trinité [1] ? » Gênée, je regarde la 5 pointe de mes chaussures. Au marché, il y a un marchand de poisson. Avant la fermeture, il crie : « Deux pour le prix d'un,

1. ***Trinité*** : division du Dieu des chrétiens en trois « personnes », le Père, le Fils et le Saint-Esprit.

deux pour le prix d'un ! » La Trinité, ça doit être : trois pour le prix d'un, mais trois quoi ?

« Et au petit Jésus ? insiste Nellie.

– Mon père s'est disputé avec lui.

– Pourquoi ?

– À cause de la guerre. »

Cette fois, Nellie reste bouche bée. Se disputer avec le petit Jésus, elle n'a jamais entendu une chose pareille.

« Si tu ne vas pas à l'église, dit-elle, tu n'iras pas au ciel. » Ça, c'est dommage !

« Cet après-midi, il y a un baptême à l'église, je dois chanter. Je veux bien demander si tu peux venir, propose-t-elle, charitablement.

– J'irai au cicl, si jc viens ?

– Peut-être. »

Nous nous dirigeons lentement vers l'église. À l'intérieur, c'est beaucoup plus grand qu'on ne l'imagine de l'extérieur. Il y règne une odeur suave[1]. Dans l'entrée, deux garçons se poursuivent en riant. De la main, ils tapent sur l'eau qui se trouve dans des vasques[2] suspendues au mur. Nellie lève la tête d'un air réprobateur.

« C'est un péché, murmure-t-elle. L'eau bénite, c'est sacré. »

Je la suis dans la nef latérale[3]. Il y a des peintures de Jésus qui porte une énorme croix sur son dos nu.

« Regarde, il est tout orange ! dis-je à Nellie en le montrant du doigt.

– Bien sûr, répond-elle. C'est parce qu'il a souffert.

– Mon père n'est pas orange.

– Ton père n'a pas été crucifié, lui ?

---

1. ***Suave*** : douce et agréable.

2. ***Vasques*** : bassins ornementaux. Ici, ce sont des bénitiers.

3. ***Nef latérale*** : dans une église, partie située entre la façade principale et la croisée du transept, sur les côtés du vaisseau central, la grande nef.

– Non, mais il a souffert.

– Alors, il n'a pas assez souffert », dit-elle d'un ton sans réplique.

Dans une aile sur le côté, nous apercevons monsieur le curé 40 avec un petit groupe d'enfants. Il nous fait signe gentiment, tout en distribuant des feuilles avec le texte d'une chanson. Nous la répétons deux fois.

Le Seigneur est mon berger,
Rien ne saurait me manquer...
45 *Dans la vallée de l'ombre, je ne crains pas la mort*[1].

J'en ai froid dans le dos. Je souffle tout bas à Nellie, en lui donnant un coup de coude :

« Qu'est-ce que ça veut dire : Rien ne saurait me manquer... dans la vallée de l'ombre ?

50 – Ça veut dire que tu n'as plus besoin de rien », réplique-t-elle sèchement.

Une fois le baptême terminé, le curé sort une grosse boîte et nous donne un bâton de réglisse et un chewing-gum enveloppé de papier à rayures. « Mon nom de baptême, c'est Petronella 55 Johanna Maria, dit Nellie alors que nous rentrons en sautillant. Et le tien ?

– Je ne suis pas baptisée. »

Elle s'arrête.

« Tu n'es pas baptisée ? Oh ! Mais alors tu ne peux pas aller 60 au ciel, ils ne te laisseront pas entrer ! »

D'un air moqueur, je la regarde. Puis je me retourne et, en serrant les bonbons dans mes mains, je pars en courant. Rien ne saurait me manquer.

---

1. Extraits du psaume 22.

Le cours de danse

Max vient de se préparer pour son premier cours de danse. Ses cheveux noirs sont plaqués en arrière, alors que d'habitude une grosse mèche lui pend sur le nez. Il porte une chemise et une cravate.

5 « N'oublie pas, dit ma mère en tirant sur son gilet, de fermer le bouton quand tu invites une fille à danser. »

Mon père pose son livre.

« Dans le camp, dit-il, les étés faisaient plus de victimes que les hivers. Partout, il y avait de la poussière, nous avions soif 10 constamment et nous étions des proies faciles pour les maladies infectieuses. Une mystérieuse épidémie fit rage. D'un moment à l'autre, des personnes apparemment en bonne santé perdaient connaissance. On les transportait par centaines sous une grande bâche, où elles mouraient quelques jours plus tard.

15 « Mon ami Anton eut la chance, toute relative, d'être parmi les premiers atteints, ce qui lui permit au moins d'avoir une place à l'infirmerie. Un dimanche après-midi, j'appris qu'il n'en avait plus pour longtemps. Je tenais à aller le voir une dernière fois, mais en tant que prisonniers, nous n'avions pas le droit de rendre 20 visite à un malade sans une autorisation spéciale, un *Schein* [1], que l'on n'obtenait que rarement. J'avais d'autant moins de chances qu'à ce moment-là nous avions Sigismond la Brute comme chef de baraque. Sigi n'était pas le genre d'homme que l'on approchait facilement, surtout s'il s'agissait d'une requête. 25 Je décidai tout de même de tenter ma chance.

« "Qu'est-ce que tu veux faire d'une autorisation ? me demanda-t-il, méfiant.

« – Rendre visite à un ami à l'infirmerie", répondis-je.

---

1. ***Schein*** : billet (en allemand).

« Il s'empara de l'énorme louche qui, comme toujours, pen-
30 dait à son ceinturon et se gratta le crâne avec le manche.

« "Si je te donne une bonne raclée avec ma louche, dit-il en grimaçant, tu n'auras pas besoin d'autorisation. Tu iras à l'infirmerie d'office !

« – Je ne l'ignore pas, répondis-je, mais je préférerais y aller
35 par mes propres moyens."

« Immédiatement, il mobilisa toute la baraque, comme il lui arrivait souvent de le faire avant de défoncer le crâne de quelqu'un. C'était un fait, pour ses petites lubies [1], il aimait avoir des spectateurs. Je me préparais donc au pire, mais, à ma grande
40 surprise, il raccrocha la louche à son ceinturon.

« "Vous, sale racaille ! hurla-t-il aux autres qui étaient au garde-à-vous, vous ne pensez qu'à vous ! Prenez exemple sur ce garçon. Il vient me voir, moi Sigi la Brute, pour demander s'il peut aller rendre visite à un ami malade. Ça, c'est de la camaraderie !"

45 Il posa un bras protecteur sur mon épaule.

« "Mais je ne peux absolument pas le laisser traverser le camp dans cet accoutrement, ça me ferait mal au cœur. Il sort d'un camp extérieur et il n'a rien à se mettre sur le dos. Toi, là-bas, dit-il en désignant un prisonnier, ce pantalon n'est pas mal du
50 tout. Et toi là, tu peux bien te passer de cette veste pour quelques heures. Enlevez ça et donnez-le-moi !"

« Après m'avoir, pour ainsi dire, habillé "de neuf" des pieds à la tête, il me dit : "*Komm'mal mit.*" (Suis-moi.) Dans son bureau, il me poussa sur une chaise, me mit un drap autour du cou, me
55 savonna avec du vrai savon à barbe. Ensuite, je fus rasé impeccablement et frictionné à l'eau de Cologne, comme chez le meilleur des barbiers. Bien astiqué, je finis par prendre le chemin de l'infirmerie, pendant que sur le pas de la porte, Sigi, satisfait, me suivait du regard, comme un père qui regarde son fils partir pour
60 son cours de danse. »

---

1. ***Lubies*** : envies déraisonnables et capricieuses.

Mon père rit.

« Je ne vois pas ce qu'il y a de drôle, dit Max, ce Sigi était tout de même un salaud ?

– Oui, bien sûr, c'était un salaud, mais je garde précieusement ce beau souvenir de lui, c'est bien mon droit.

– Et s'il t'avait tranché le cou avec le rasoir ? S'il t'avait envoyé à la chambre à gaz avec tes beaux habits ?

– Si, si, dit mon père, si ma grand-mère portait une barbe, ce serait mon grand-père ! »

Max quitte la pièce sans dire au revoir. Quand il enfourche son vélo, ma mère se met à la fenêtre. Elle lui fait toutes sortes de mimiques et lui crie : « Une, deux et trois. Une, deux et trois. » Mais il ne se retourne pas.

Étranger

Nous avons le choix entre une visite au cirque ou un après-midi au cinéma. Je ne suis jamais allée au cirque, mais comme Simon a pitié des éléphants et que Max n'aime pas les clowns, ils veulent aller voir un film sur Ulysse. Je demande : « Mais, qui est-ce ?

– Un roi grec, répond Max, qui s'est battu contre Troie et n'a pas retrouvé le chemin de sa maison.

– Et après ?

– Après, il a rencontré des sorcières et des géants. C'est passionnant. »

Si Max le dit, ce doit être vrai. Il apprend le grec à l'école, avec un gros monsieur tout rouge.

Je dis à ma mère, qui, dans la cuisine, prépare les haricots : « Nous allons voir Ulysse. Il s'agit d'un roi qui s'est perdu.

– Oui, dit-elle, les dieux étaient en colère contre lui et, pour le punir, ils l'ont fait errer pendant des années sur les mers. Mais il n'arrivait pas à oublier sa femme, la belle reine Pénélope. Quand enfin il revint à Ithaque, personne ne le reconnut.» Elle s'essuie les mains à son tablier.

«Il était étranger, dit-elle lentement, au pays de ses désirs. J'ai traduit cela pour le bac. J'ai eu dix-huit. La guerre venait de commencer.»

Comme le cinéma est en travaux, les tickets sont moitié prix. Max jubile, car avec l'argent qui reste nous pourrons acheter des glaces.

La salle sent la sciure et la peinture. Dans l'allée et de chaque côté de l'écran, il y a de grands échafaudages en bois. Les sièges sont durs.

Ulysse ne porte pas de couronne, mais une jupe courte, plissée. Il aurait mieux fait de mettre autre chose, car on voit tout le temps ses genoux poilus. Par contre, pour être courageux, il l'est ! Il lance un épieu[1] rougi au feu dans l'œil du Cyclope. Ce dernier hurle de douleur et essaye d'attraper Ulysse. Simon et moi retenons notre souffle. Heureusement, Max nous raconte toujours la suite. «Tout à l'heure, il va s'accrocher au ventre d'un bélier et s'échapper de la grotte», ou bien : «Il va tendre son arc et tous les tuer.»

«Plus tard, moi aussi j'irai naviguer», dit Simon après le film. Max ricane.

«Comment tu feras, toi qui as peur de l'eau ? Tu n'oses même pas prendre un bain !

– C'est seulement quand je dois me laver les cheveux, réplique Simon piqué au vif, parce que le shampooing me coule dans les yeux.»

Les lampadaires sont déjà allumés, nous nous dépêchons de rentrer. Je mets ma main dans celle de Max. «Papa ressemble à Ulysse, dit-il. Lui aussi, des monstres l'avaient enfermé.» J'approuve : «C'est vrai, mais papa ne porte pas de jupe.

– Oui, renchérit Simon, et Ulysse n'a pas de poux.»

---

1. ***Épieu*** : gros et long bâton terminé par une pointe en fer.

Questions

«Si Dieu existe, dit Max, pourquoi n'a-t-il rien fait ?»

Mon père, qui a fini de manger, allume une cigarette.

«Qu'est-ce que tu veux dire? demande-t-il en rejetant la fumée par les narines.

– Il aurait pu retenir les trains ? Il aurait pu faire disparaître le camp d'un revers de main. Pourquoi n'a-t-il rien fait pour vous ?

– Dieu n'est pas un homme à tout faire, dit mon père en souriant. Imagine qu'il nous obéisse au doigt et à l'œil, ce serait une belle pagaille !

– Tu n'es pas en colère après lui ?

– Quelquefois.

– Pourtant tu continues à croire en lui ?

– On pourrait dire ça comme ça.

– Mais c'est idiot !» dit Max d'une voix suraiguë. Mon père soupire.

«On ne peut pas accuser Dieu. Ce n'est pas lui qui a crié *Sieg Heil* (Victoire) lorsque Adolf Hitler est arrivé au pouvoir. Dieu n'a pas applaudi quand l'Europe a été foulée aux pieds. C'était l'œuvre de gens comme toi et moi. Ce sont les hommes qui ont conduit les trains, ce sont eux qui ont inventé les chambres à gaz. Bien sûr, c'est Dieu qui avait créé ces hommes, mais il les avait dotés du libre arbitre[1]. Ils pouvaient faire ce qu'ils voulaient et voilà qu'ils ont eu envie de génocides[2].

– Si Dieu a créé tous les hommes, il a aussi créé Hitler ! s'exclame Max d'un air triomphant.

– Sans aucun doute, répond mon père calmement, mais Adolf Hitler était responsable de ses propres actes.

---

1. ***Libre arbitre*** : volonté, pouvoir de faire des choix personnels.
2. ***Génocides*** : voir lexique, p. 120.

– Et Dieu l'a tout bonnement laissé faire ? réplique Max, outré. C'est tout de même pas juste !

30 – Personne ne prétend que c'est juste. Si tu veux un monde juste, il faudra en trouver un autre. »

Max cligne des yeux.

« Alors tu crois en un Dieu cruel, qui assiste sans broncher au massacre de milliers de personnes.

35 – Nous n'avons pas le choix, dit mon père. Je préfère un Dieu que je ne comprends pas, plutôt que pas de Dieu du tout. Il faudra donc que je m'en contente, tant bien que mal.

– C'est ton affaire ! s'écrie Max. Mais dorénavant, fiche-moi la paix avec tes histoires sur ton sale camp. Si c'est comme ça, 40 tu ne méritais pas mieux ! »

Mon père agite un doigt menaçant au-dessus des plats.

« Ce ton ne me plaît pas du tout !

– Ah non ? Et alors, qu'est-ce que tu comptes faire ? »

Ma mère se lève de table.

45 « Tais-toi, Max.

– Frappe-moi, hurle Max, comme les SS ! »

Ma mère le tire de sa chaise et elle le pousse vers la porte.

« Achève-moi à coups de pied ! crie Max par-dessus son épaule. Envoie-moi à la chambre à gaz ! »

50 Simon me pince le bras. Il s'efforce de retenir ses larmes. Mon père suffoque.

« Allons, Jochel », dit ma mère.

Elle pose sa main sur la sienne, mais il la retire et se frotte le visage.

55 « Mais qu'est-ce que vous me voulez ? dit-il.

C'est déjà assez dur comme ça ! »

Le caleçon

« On voit des photos de prisonniers portant des vestes et des pantalons à rayures, dit mon père, mais pendant les dernières années de guerre, seul le gratin du camp pouvait se le permettre. Certains chefs de baraques pouvaient se flatter de posséder une veste à rayures. Nous portions des guenilles [1] dont même les plus démunis n'auraient pas voulu.

« Des chaussures, nous n'en avions pas. Au début, nous marchions sur des morceaux de bois, ensuite pieds nus. Ils auraient dû nous ferrer comme des chevaux, cela aurait été plus pratique. Pendant quelque temps, j'ai travaillé au *Kommando* [2] des câbles. Nous retirions le cuivre d'anciens câbles électriques, pour qu'il soit recyclé. Il était facile de s'en approprier quelques-uns. Dans notre baraque, nous démêlions les fils de façon à en obtenir de très fins. Si nous parvenions à nous procurer des morceaux de tissu à droite et à gauche, nous les cousions avec le fil de cuivre, sans avoir besoin d'aiguille. C'était un travail qui demandait de la patience, mais de cette façon nous nous fabriquions des chaussettes, ou du moins quelque chose qui y ressemblait vaguement.

« Il n'y avait pas de sous-vêtements. Lorsque je suis arrivé au camp, je portais encore mon caleçon. Je l'ai porté devant-derrière et je l'ai retourné jusqu'à ce qu'il soit raide de crasse. De temps en temps, j'arrivais à le laver dans la neige. Et puis il a fini par tomber en lambeaux.

– Après tu t'es baladé cul nu, comme les danseurs ? demande Simon.

– Les danseurs ne se promènent pas cul nu ! s'écrie Max. Ils portent un collant ! »

Simon se met à pleurer.

---

1. ***Guenilles*** : vêtements usagés, déchirés, en très mauvais état.
2. ***Kommando*** : voir lexique, p. 120.

« À un moment donné, poursuit mon père, un bruit courait : 30 on allait nous distribuer des caleçons ! Je n'en croyais pas un mot, mais apparemment je m'étais trompé, car un matin après l'appel, en effet, nous sommes allés au pas jusqu'à la buanderie, où chacun reçut un caleçon. Et quel caleçon ! C'était un sac en papier marron percé de deux trous pour les jambes. En haut, il 35 y avait une cordelette qui permettait de le serrer à la taille. Ce truc ne servait strictement à rien. Au bout d'une demi-journée, il a fallu le jeter, vu que nous avions la diarrhée et que nous avions sans arrêt de la merde jusqu'au cou. »

Simon frotte ses joues mouillées de larmes. D'un ton chagrin, 40 il remarque :

« Sans caleçon, la vie a-t-elle encore un sens ? » Ma mère lui caresse la tête. Elle interroge mon père du regard. Il se lève d'un bond et fait le tour de la pièce.

« Attends, dit-il, j'ai oublié quelque chose ! Tout le monde 45 avait reçu un caleçon, sauf moi. Quand ce fut mon tour, il n'y en avait plus. Oui, maintenant je m'en souviens. Alors que les autres étaient en train d'enfiler leur slip dans la neige, moi j'étais là, les mains vides. À ce moment-là, le chef de camp, en personne, passe par là. Il secoue la tête et dit : “Alors ça, c'est 50 quelque chose. Ce pauvre bougre a droit à un caleçon lui aussi, et il en aura un, sacrebleu ! Même si je dois retourner le camp de fond en comble.

– Mais le carton est vide ! répliquent les hommes de la buanderie.

55 – Comment cela ? s'écrie le chef. Vous n'allez pas nous faire croire que le Troisième Reich manque de caleçons ?”

« Ses mains disparaissent dans le fond du carton, fouillent et, comme par miracle, en retirent un caleçon. Celui-ci ne ressemblait en rien aux culottes en papier. Il était fait de flanelle bleue 60 et descendait jusqu'aux genoux. La braguette était fermée par des boutons en forme d'aigles allemands miniatures.

– C'est vrai ? » demande Simon.

Mon père hoche la tête d'un air convaincu.

« Ce caleçon était inusable, de première qualité. Et ce n'est pas tout. Au bout d'une semaine, il s'est mis à parler ! Je crois que je venais juste d'être assigné à la *Waldkolonne*, le *Kommando* qui travaillait dans la forêt. En tout cas, c'était dans les bois. Nous creusions des tranchées, la terre était durcie par le gel et le manche de ma bêche s'est cassé en deux. Dès que les gardes s'en sont aperçus, ils m'ont roué de coups. Comme si cela allait changer quelque chose ! Je continuais à travailler avec ma bêche cassée lorsque, tout à coup, mon caleçon s'est adressé à moi. »

Je demande :

« Qu'est-ce qu'il t'a dit ?

– Il parlait allemand, répond mon père. Je n'ai pas envie de tout traduire, mais il m'a raconté entre autres qu'il s'appelait Heinrich et qu'il avait été le caleçon d'Adolf Hitler. Il avait regardé son *Arschloch* (trou du cul) pendant des années, et il connaissait ainsi les secrets d'État les mieux cachés. Un jour, il a été arrêté et envoyé au camp : il en savait trop.

– Un caleçon qui parle, on n'a jamais vu ça », dit Simon.

Mon père, l'air désabusé, lève les bras.

« Lui, il ne comprenait pas non plus ! Il n'avait jamais essayé auparavant. L'idée ne lui en était jamais venue, tout simplement. Mais une fois qu'il eut découvert qu'il savait parler, plus rien ne pouvait l'arrêter. Nous nous en sommes raconté des choses, Heinrich et moi ! Les nazis étaient des ratés. Mais leurs caleçons ? Que personne n'en dise du mal !

– Qu'est-ce qu'il est devenu, Heinrich ? demandons-nous.

– Vers la fin de la guerre, j'avais tellement maigri qu'il ne m'allait plus du tout. Il n'arrêtait pas de me tomber sur les chevilles. Un jour, le vent l'a emporté. Il est parti très haut dans le ciel. J'ai crié : “Heinrich ! Reviens !

– Non, m'a-t-il répondu. La vue est trop belle ici !

– Qu'est-ce que tu vois, dis ?

– Tout, tout. Toute l'Europe, je vois même l'avenir. Je vois du pain sur la table et je vois la fille aux nattes noires dont tu m'as parlé. Et des enfants, je vois aussi des enfants.

– Combien ?" lui ai-je crié encore, mais je ne l'entendais plus,
100 il était devenu petit comme un cerf-volant dont la corde a cassé. »

Simon reste sceptique.

« Les vêtements ne parlent pas », dit-il, pendant que nous retirons les nôtres.

Max, qui lui a le droit de se coucher plus tard, est appuyé
105 contre l'armoire.

« Pourquoi pas ? dit-il. Dans le camp il se passait bien des choses encore plus bizarres, on gazait des gens. »

Simon hausse les épaules.

« Bien sûr qu'on y gazait des gens, dit-il. Un camp, c'est fait
110 pour ça, non ? »

Le hasard

« Pour dormir, nous n'étions jamais seuls, pour ne pas gaspiller le *Lebensraum*[1] (l'espace vital), dit mon père. On dormait à deux, au moins. Après quelque temps, celui avec qui on partageait une couche disparaissait. Parti dans un autre bloc, à
5 l'infirmerie ou à la fosse commune[2]. Un nouveau prenait sa place.

« Un matin, le vieux Roumain qui avait été mon compagnon de lit pendant un mois gisait glacé à mes côtés. À mon grand

1. ***Lebensraum*** (« espace vital ») : voir lexique, p. 120.

2. ***La fosse commune*** : le trou (ou la tranchée) creusé(e) dans le sol où l'on entassait les cadavres.

dam[1], je remarquai que ses vêtements, une magnifique paire de
10 chaussettes entre autres, dont j'étais l'héritier légitime, lui avaient déjà été retirés. Le soir, sa place fut occupée par un Néerlandais. C'était une nette amélioration, car le Roumain ne parlait que les quelques mots d'allemand qu'il avait appris au camp ou il s'exprimait avec les mains. Avec le Hollandais, la conversation
15 s'engagea sans attendre. Il s'avéra que nous avions habité tous les deux à La Haye, à la même époque et dans la même rue. Lorsque je lui dis le numéro, il s'exclama : "C'est pas vrai ! J'y habitais aussi !

– Si, c'est vrai. Je louais une chambre chez la veuve Bosch,
20 au premier étage, côté rue."

De surprise, il se tapait sur les cuisses. "J'étais au deuxième !

– Alors c'était toi, le serveur, chez Riche, celui dont la veuve parlait parfois. Tu rentrais toujours bien après minuit, je t'entendais souvent monter l'escalier.

25 – C'est ça, fit-il, je faisais de longues journées.

– Si tu étais passé à travers le plancher, tu serais arrivé tout droit sur mon lit, m'écriais-je, et voilà que nous partageons le même châlit[2], ça alors !" »

Mon père secoue la tête. Nous rions.

30 « Mais ce qui m'arriva de plus insolite, ce fut juste après la libération. L'Armée rouge nous hébergea dans une école qui faisait office d'hôpital de fortune. C'était surtout un hôpital de misère, car des médicaments, les Russes n'en avaient pas. Par contre, nous avions trois repas par jour et un lit pour nous seuls,
35 nous étions comblés par tant de luxe.

À côté de chaque lit, il y avait une table de nuit. Elles étaient toutes vides, sauf la mienne. En l'ouvrant, je trouvai un livre que quelqu'un avait dû oublier. Quelle ne fut pas ma surprise de voir qu'il s'agissait de *Job, roman d'un homme simple* de Joseph Roth !

---

1. ***À mon grand dam*** : à mon détriment.
2. ***Châlit*** : voir note 1, p. 19.

40 Je l'avais sur moi, le jour de mon arrestation. Ce fut le dernier livre que je vis, avant mon départ pour le camp, et ce fut le premier qui me tomba entre les mains après ma libération. Il me suffit de retrouver la page où j'avais interrompu ma lecture et je pouvais la reprendre, enjambant un abîme de plusieurs années,
45 comme s'il ne s'était rien passé. »

Il s'empare d'un livre dans la bibliothèque et le brandit devant nous.

« Regardez, je l'ai apporté à la maison en souvenir ! » Dès qu'il l'a reposé, Simon s'empresse de le feuilleter, mais son
50 visage s'assombrit.

« Il est tout sale. »

Mon père acquiesce.

« Son dernier propriétaire devait avoir du sang sur les doigts. »

Nous sursautons. L'empreinte sombre d'un pouce se dessine
55 dans la marge, elle ressemble à une croûte sur une plaie.

« Beurk ! fait Simon en repoussant le livre à l'autre extrémité de la table. Je voulais juste regarder les images.

– Les images de quoi ?

– Je ne sais pas. De chars russes qui libèrent tout le monde,
60 de gens qui crient de joie. »

Mon père soulève le livre et l'ouvre comme un accordéon.

« Ce sont les seules images qu'il y ait », dit-il.

Les taches de sang voltigent au-dessus de nous. L'air devient lépreux.

Débile mental

« Qu'est-ce que tu veux être plus tard ? demande la maîtresse.

– Invisible, comme ça les SS ne pourront pas m'attraper. »

Ce n'est pas la bonne réponse. Des doigts se lèvent. La maîtresse en désigne un, mais tout le monde crie en même temps.
5 « Capitaine !
– Infirmière !
– Je veux être pompier ! »

Quand je parle de la guerre, la maîtresse fait comme si j'étais débile. Hans, qui habite dans notre rue, est vraiment un débile
10 mental, lui. Il a une grosse tête, le regard toujours étonné, et il bave un peu. Un jour Hans avait disparu. Des sales gosses l'avaient attaché à un arbre. On ne l'a retrouvé qu'à la nuit tombée. Il y a beaucoup d'arbres au bord de la voie ferrée. Chaque fois que j'en vois un, je me demande si c'est celui de Hans.
15 Une fois, un dimanche, je suis allée à la grand-messe avec Nellie et ses parents. L'église était bondée. Tout à coup, Hans est apparu au beau milieu de l'allée centrale. Il s'est allongé sur le sol de marbre noir, puis a disparu sous le banc de devant. Peu après, il est réapparu à l'autre bout, mais il s'est laissé retomber
20 aussitôt. Il faisait du gymkhana [1] sous les bancs. Un silence complet régnait dans l'église, les enfants de chœur firent retentir leurs clochettes, le curé souleva un calice [2] doré. Et puis Hans s'est mis à chanter « Au clair de la lune » si fort que tout le monde l'a entendu. J'ai failli faire pipi dans ma culotte tellement je riais,
25 mais Nellie m'a pincé la cuisse de toutes ses forces.
En rentrant de la messe, son père a dit en hochant la tête : « Tu sais qu'il m'avait attrapé les pieds ? Qu'est-ce que ce garçon fait à l'église ? Ces enfants-là devraient être dans un centre ! »

Hans n'a pas sa place à l'église et moi je n'ai pas ma place à
30 l'école. Je rends la maîtresse nerveuse. Un jour, elle m'a interpellée près des portemanteaux et elle m'a dit : « Maintenant, il faut

---

1. ***Gymkhana*** : ici, acrobaties au milieu d'obstacles.
2. ***Calice*** : récipient dans lequel est versé le vin qui représente le sang du Christ durant la messe.

en finir avec la guerre ! » Qu'est-ce qu'elle veut dire par là ? Elle en parle souvent de la guerre, elle. « À la bataille de Heiligerlee, Louis de Nassau a taillé les Espagnols en pièces », raconte-t-elle
35 toute fière, comme si elle l'avait aidé. Ou bien : « En 1628, Piet Heyn a conquis la flotte d'argent », ou « Le duc d'Albe a semé la terreur dans les Provinces-Unies ».

Au XVIIe siècle, il n'y avait pas de camps, mais on tirait. Sur une image, dans notre livre d'histoire, Balthasar Gerards tire de si près
40 sur Guillaume le Taciturne que le canon de son pistolet disparaît dans le ventre de ce dernier. Un gros nuage de fumée s'échappe du trou fait dans le ventre du prince. On ne voit pas si c'est la poudre du canon ou la dinde rôtie que le Taciturne vient de manger. En tout cas, il n'est pas maigre et nulle part on ne voit de barbelés.
45 Pourtant, la maîtresse en a les larmes aux yeux.

Un peu plus tard, elle nous demande de dessiner dans notre cahier le portrait du duc d'Albe. Pour lui faire plaisir, je fais au duc des lèvres cruelles et un regard sanguinaire. Dès que j'ai terminé, elle s'écrie en montrant le petit carré noir sous son nez :
50 « Quelle belle moustache il a ! » Je n'ose pas dire que c'est celle d'Adolf Hitler.

Football

« Qu'est-ce qui était le pire au camp ? » demande Max.

Mon père pousse un soupir.

« Voilà qu'on se pose des devinettes maintenant ?

– Non, je veux le savoir, c'est tout.

5 – Ce genre de questions est un peu simpliste, dit mon père. Qu'est-ce qui était le pire, la faim ou les brimades [1], le froid de

---

1. ***Brimades*** : paroles ou actions blessantes, vexatoires.

l'hiver ou la chaleur de l'été ? Est-ce qu'être gazé était pire que d'être pendu ? Qui peut le dire ? Moi pas en tout cas.

– Pourquoi pas ?

10 – Parce que cela ne sert strictement à rien. Tout était affreux et terrifiant. Je ne veux même pas y penser. Cela frise le sordide.

– Le sordide ? répète Max d'une voix suraiguë.

– Déplacé vis-à-vis de tous ceux qui sont morts là-bas, dit mon père.

15 – Ha, ha, alors tu me trouves sordide ! »

Mon père l'attrape par le bras.

« Maintenant, tu vas bien m'écouter. Je ne sais pas ce que tu peux bien t'imaginer, mais il y a un point sur lequel tu te trompes complètement. Je vous aime, chacun autant que vous êtes, mais 20 toi peut-être le plus de tous.

– C'est pas vrai ! hurle Max. Tu n'aimes que tes SS ! Quand nous mangeons, tu te mets à parler de la faim. Quand nous sommes enrhumés, tu parles du typhus [1]. Les autres pères, eux, ils jouent au foot, mais toi, si par hasard j'amène un copain à la 25 maison, tu parles du camp. Et le camp par-ci et le camp par-là, toujours le camp. Il fallait y rester, merde ! »

Mon père le lâche. Au même moment, ma mère fait irruption dans la pièce.

« Qu'est-ce que tu viens de dire, toi ? demande-t-elle.

30 – Tu le sais très bien, murmure Max entre ses dents.

– En effet, mais je n'en crois pas mes oreilles.

C'est peut-être parce que j'ai choisi ton père parmi des milliers, dit-elle, les lèvres tremblantes. C'est peut-être parce que je l'ai cru mort et parce que, après la libération, j'ai passé des 35 semaines à faire la queue à la Croix-Rouge pour avoir de ses nouvelles. » Elle rit et pleure en même temps. « Heureusement que tu es là pour me dire à quel point j'ai été bête. Un homme qui ne sait même pas jouer au foot ! Si je l'avais su plus tôt !

---

1. ***Typhus*** : voir note 1, p. 55.

– Je demandais seulement ce qui était le pire au camp, se
40 défend Max. C'est jamais bien !

– Alors si je réponds à ta question, dit mon père, nous passons l'éponge et nous nous conduisons à nouveau normalement ? » Il se tient debout devant la fenêtre et nous tourne le dos. Ses doigts tambourinent sur le rebord de la fenêtre. « Le pire pour
45 moi, dit-il, c'était quand le vent venant du crématoire soufflait du côté de la place d'appel. Car, pendant que nous attendions au garde-à-vous, droits comme des piquets, le vent transportait de la graisse qui nous collait aux joues comme de la vaseline[1]. Tu comprends ce que je veux dire ?

50 – Oui, dit Max, je comprends. »

Il continue à baisser les yeux, puis se dirige doucement vers la porte.

« Eh Max ! On jouait aussi au foot. Quelquefois, lors de festivités, les Polonais jouaient contre les Grecs par exemple, ou les
55 Tchèques contre les Hongrois. Les équipes étaient sélectionnées d'avance. Les plus forts se renvoyaient les plus faibles comme des fétus de paille et parfois il nous fallait les enterrer avant la première mi-temps. Moi, ils ne m'ont jamais demandé de participer à un match, ils avaient sans doute compris que je ne savais pas
60 jouer au foot. »

« Laissez les cubes, nous dit ma mère, nous allons faire un tour. »

En passant dans le couloir, nous entendons Max hurler dans sa chambre. Dans la rue, nous l'entendons encore. Une fois
65 passé le coin de la rue, le silence nous glace.

---

1. ***Vaseline*** : substance grasse employée pour graisser des machines ou comme pommade.

Sans fin

« Istvan était un Tsigane hongrois que nous avions surnommé Rudolph Valentino[1]. Il avait les sourcils noirs de jais[2] et mieux dessinés qu'au pinceau. En toute fraternité, nous partagions notre couchette, ainsi que d'énormes poux qui, dans une efferves- 5 cence d'heure de pointe, faisaient la navette entre ses haillons et les miens. Il parlait un dialecte chantant auquel je ne comprenais pratiquement rien. Même les quelques mots d'allemand qu'il avait appris des SS devenaient mélodieux dans sa bouche.

« Bien qu'il ne fasse pas partie de l'orchestre du camp, il pos- 10 sédait un violon sur lequel, le soir, il jouait inlassablement des *csardas*[3]. Le chef de baraque aimait l'écouter et le payait d'un morceau de pain ou d'un reste de soupe qu'Istvan partageait immanquablement avec moi. Si, pendant l'un de ses concerts, une corde venait à casser, il sortait de la poche de son pantalon 15 une pleine poignée de cordes toutes neuves, comme si de rien n'était. C'était un prodige, il aurait pu voler un œuf dans le cul d'une poule avant même que la pauvre bête se soit aperçue qu'elle était en train de pondre.

« Il arrivait à dégoter les trucs les plus inouïs : une paire de 20 chaussures en daim bleu ou du vrai fromage au cumin. Une fois, il piqua même une boussole destinée à nous indiquer le chemin lors de notre évasion. Car il était bien certain que nous allions nous échapper, dans une semaine ou dans un mois, cela ne faisait aucun doute pour Istvan. Je hochais la tête sans conviction. 25 Il était pratiquement impossible de s'enfuir. Si quelqu'un y parvenait, il n'allait pas bien loin, en général. Les chiens retrouvaient

---

1. ***Rudolph Valentino*** (1895-1926) : nom d'un acteur américain d'origine italienne.
2. ***Jais*** : pierre d'un noir intense et brillant.
3. ***Csardas*** : nom d'une danse hongroise.

La Shoah et la représentation

SE REPRÉSENTER : contre l'anéantissement *

« Ils ont voulu faire de nous des bêtes », écrivait Robert Antelme dans *L'Espèce humaine*, à son retour de déportation. Le régime nazi, dans son entreprise d'extermination du peuple juif, a conduit à une profonde remise en cause de l'humain : sait-on encore ce qui le définit au lendemain de la Shoah ? L'artiste juif allemand Felix Nussbaum (1904-1944) réalise au début des années 1940, une série d'autoportraits qui s'inscrivent dans ce questionnement. Dans ses œuvres, il se représente « en Juif errant », faisant écho à son destin d'exilé, de déporté et de fugitif. Le cadre sombre et menaçant de ses toiles témoigne de l'aliénation identitaire que constitue la Shoah, à laquelle le peintre ne survivra pas. Il sera assassiné à Auschwitz.

▲ Portrait de Felix Nussbaum, Osnabrück (Allemagne), Felix Nussbaum Haus.

▶ Felix Nussbaum, *Autoportrait dans le camp* (1940), New-York (États-Unis), Neue Galerie.

* Voir Dossier, p. 154.

▲ Felix Nussbaum, *Autoportrait au passeport juif* (1943), Osnabrück (Allemagne), Felix Nussbaum Haus.

TÉMOIGNER (1) : les œuvres de déportés

Œuvres documentaires extrêmement précieuses, les dessins que les déportés réalisent pendant leur internement témoignent de la terrifiante réalité des camps et de leur lutte quotidienne pour survivre. Au péril de leur vie et dans la plus grande clandestinité, les prisonniers esquissent un témoignage édifiant.

◀ Henri Gayot (1904-1981), *Corvées* (v. 1944-1945), Struthof, musée du KL-Natzweiler. Déporté en 1944 au KL* Natzweiler-Struthof (seul camp de concentration sur le territoire français, en Alsace alors annexée) dans le cadre du décret *Nacht und Nebel*** pour faits de résistance, Henri Gayot, ancien professeur de dessin, trace des croquis saisissants. Ici, on voit des *Kapos* malmener des déportés sous la surveillance d'un SS.

◀ Anonyme (v. 1943). L'orchestre de fortune, dirigé ici par une femme, rappelle le chapitre « Le Petit Chaperon rouge » de *Mon père couleur de nuit* (p. 53-55).

* *KL* : *Konzentrazionslager* (« camp de concentration »).
** *Nacht und Nebel* : voir Présentation, p. 6.

▲ **Joseph Novak (v. 1940), musée juif de Prague (République tchèque).**
Témoignage très émouvant, le dessin du jeune garçon Joseph Novak, emprisonné dans le camp-ghetto de Terezin en Tchécoslovaquie, où près de 15 000 enfants transitèrent avant d'être déportés à Auschwitz, montre les exécutions sommaires perpétrées par les nazis. La naïveté du trait, tout comme le ton ingénu de la narratrice dans *Mon père couleur de nuit*, fait ressortir, par contraste, l'horreur représentée.

◀ **Anonyme (v. 1940), musée juif de Prague (République tchèque).**
Ce dessin anonyme d'un enfant emprisonné à Terezin semble montrer l'espoir qui anime son auteur, malgré les ténèbres qui l'entourent, lesquelles rappellent le père « couleur de nuit » de l'œuvre de Carl Friedman.

TÉMOIGNER (2) : la représentation de la Shoah en BD *

Parce que la bande dessinée a longtemps été réduite à un art mineur destiné essentiellement à la jeunesse, le recours à ce genre pour traiter de la Shoah est, à quelques exceptions près, assez récent. Il correspond aussi à la lente transmission d'une mémoire qui s'exprime de plus en plus, à partir des années 1980, à travers des œuvres de fiction. Le support de la bande dessinée se distingue du texte littéraire en figurant le traumatisme subi par l'entremise du dessin. Composées presque exclusivement en noir et blanc, les planches reproduites ici investissent des univers graphiques multiples (ébauches, stylisation, animalisation, ultraréalisme, etc.) et invitent le lecteur à réactualiser une mémoire de plus en plus lointaine. Si Art Spiegelman (né en 1948) fait figure de précurseur en la matière, la bande dessinée continue aujourd'hui d'aborder la Shoah à travers des formes sans cesse renouvelées (BD fantastique, roman graphique, manga, etc.).

▲ Art Spiegelman, *Maus : Un survivant raconte*, Flammarion, 1992, t. II, « Et c'est là que mes ennuis ont commencé », p. 35.

* Voir Dossier, p. 155-156.

En 1986, Art Spiegelman publie le premier volume de *Maus* dans lequel il relate les événements historiques et tragiques vécus par sa famille. L'œuvre se construit autour de deux axes : d'une part, le récit du père, Vladek, rescapé du camp d'Auschwitz et, d'autre part, le rapport que le fils entretient à cette parole douloureuse. À la manière des fables (de La Fontaine par exemple) ou de nombre de dessins animés, Art Spiegelman choisit de représenter ses personnages sous les traits d'animaux. Les nazis deviennent alors des chats, les Juifs, des souris, les Polonais, des cochons, et les Américains, des chiens. La force expressive de la métaphore confère une valeur universelle au traumatisme décrit.

▲ Art Spiegelman, *Maus : Un survivant raconte*, Flammarion, 1992, t. II, « Et c'est là que mes ennuis ont commencé », p. 41.

▲ Pascal Croci, *Auschwitz*, éd. Emmanuel Proust, 2000.
Dans son album au dessin très réaliste, Pascal Croci donne la parole à un couple de rescapés yougoslaves qui se remémorent leur déportation au camp d'Auschwitz.

▲ Miriam Katin, *Seules contre tous*, Futuropolis, 2014.
La bande dessinée autobiographique de Miriam Katin raconte l'histoire d'une petite fille et de sa mère fuyant la Hongrie et les persécutions des nazis. Dans cette planche, le trait sombre et rageur de la créatrice donne à comprendre la violence physique et symbolique subie.

MONTRER : la force des images

Dès 1941, les Soviétiques envoient des opérateurs munis de caméras et d'appareils photos pour recueillir les traces et les preuves de la machine de guerre nazie. À mesure que l'Armée rouge progresse sur le front de l'Est, les soldats découvrent et libèrent les camps de mise à mort situés en Pologne : c'est dans ce contexte que des centaines d'heures de film, utilisées lors des procès de Nuremberg, sont tournées. Cependant, ces images, placées sous la surveillance des autorités soviétiques pour lesquelles l'enjeu est aussi politique, posent le problème de la vérité documentaire. Si elles rendent compte avec précision du système de mise à mort nazi, elles gomment le sort spécifique fait aux Juifs parmi les victimes soviétiques à des fins de propagande, pour mettre en avant l'unité de tout le peuple face à l'ennemi.

◄ C'est dans ce contexte que le célèbre réalisateur soviétique Roman Karmen (1906-1978) filme le camp de Majdanek (Pologne), construit en octobre 1941 et transformé en camp de mise à mort l'année suivante. Il fut le premier à être découvert par l'Armée rouge le 23 juillet 1944.

◄ Anonyme (membre du *Sonderkommando d'Auschwitz), août 1944, Oswiecim, musée d'État d'Auschwitz-Birkenau.**
Comme l'illustre le film *Le Fils de Saul* de László Nemes **, les camps de mise à mort comprenaient une unité de travail, le *Sonderkommando*, affectée à l'entreprise d'extermination nazie.
Au cours de l'été 1944, des membres d'un groupe clandestin de résistance au sein du *Sonderkommando* d'Auschwitz entreprirent de collecter des preuves des atrocités commises. Si on ignore toujours comment l'appareil photographique a pu se retrouver entre les mains de ces prisonniers, quatre clichés, dont celui reproduit ci-contre, témoignent de la barbarie commise.

* Voir lexique, p. 121.
** Voir Dossier, p. 157.

sa trace et il était pendu dès son retour. Parfois, pour rire, les SS mettaient le cadavre d'un fugitif sur une chaise avec un écriteau autour du cou, sur lequel on pouvait lire : *Ich bin wieder da* (Je
30 suis de retour). J'étais prisonnier depuis assez longtemps pour savoir que les chances de survie en dehors des barbelés n'étaient guère plus grandes qu'à l'intérieur. Istvan, lui, ne le savait pas, ou du moins il ne voulait pas le savoir. Comme un enfant, il se penchait tous les soirs sur sa boussole et il voyait non seulement
35 les quatre points cardinaux, mais le monde entier : les forêts, les montagnes, les fleuves et même les étoiles et les planètes. Tout cela se reflétait dans ses yeux noirs.

« À l'époque, mon *Kommando*[1] déchargeait des pierres. Voilà comment cela se passait : l'un des prisonniers se tenait en haut,
40 sur le camion, et jetait les pierres à toute vitesse à un autre, qui les attrapait et les passait au suivant. C'est pour le premier que c'était le plus dur. Le soir, la chair de ses mains était à vif. Willi Hammer[2], avec son sens de l'humour bien particulier, me choisissait systématiquement pour occuper cette place. À force, le
45 moindre nerf de mes doigts fut à vif et de petites excroissances en forme de chou-fleur apparurent sur les os.

« D'autres que moi souffraient du même mal. Skozepa, un Tchèque, alla à l'infirmerie. Quand il en revint, il n'avait plus d'excroissances, mais plus de doigts non plus : on les lui avait
50 coupés avec un cutter. Avant qu'il aille à la chambre à gaz, nous le nourrissions de morceaux de pain recouverts d'une couche de confiture de betteraves épaisse comme le pouce. Personne ne la lui enviait.

« Quelques jours plus tard, Istvan, rayonnant, me passa un petit
55 paquet contenant un tube de pommade soufrée, des chiffons propres et une grosse épingle de nourrice. C'est à elle que je dois

1. ***Kommando*** : voir lexique, p. 120.
2. ***Willi Hammer*** : voir note 3, p. 17.

mon salut : je la passais sur une flamme, j'ouvrais mes doigts infectés sur toute la longueur et retirais un à un les petits choux-fleurs. »

Mon père pose ses mains sur la table, les paumes tournées vers le haut. Nous connaissons bien les fines cicatrices dirigées comme des flèches vers la chair tuméfiée[1] du bout des doigts, pourtant nous les regardons.

« Istvan, dit-il, Istvan. » Il secoue lentement la tête. « Je ne sais pas ce qui lui a pris tout à coup. Il avait abandonné tout espoir de s'évader. De la musique, il n'en jouait plus. Soir après soir, il restait prostré dans un coin de la baraque, le regard dans le vide. "Ça ne finira jamais, disait-il, abattu, *kein Ende, kein Ende*[2]."

« Il est devenu téméraire, a refusé de marcher au pas, s'est mis à voler comme une pie. Le matin, il ne se levait plus, seuls les coups parvenaient à l'extirper de sa couche. C'est un de ces matins-là que l'inévitable arriva.

« Je m'en souviens comme si c'était hier. Nous nous tenions en rangs sur la place d'appel enneigée, groupés par blocs, les mains le long du corps, prêts pour l'inspection des SS. Quand les gardes arrivaient, nous devions tourner la tête vers eux en guise de salut et retirer nos calots[3]. Le problème, c'était qu'ils arrivaient par-derrière et nous, qui regardions droit devant nous, nous ne savions pas de quel côté ils allaient passer. Afin de limiter au minimum les erreurs, le chef de baraque, qui lui les voyait arriver, avait trouvé une astuce. S'ils arrivaient de gauche, il criait : "*Die Augen*[4] *!*" S'ils arrivaient de droite, il ne disait que : "*Augen !*" Cette trouvaille nous épargnait nombre de coups et d'exercices supplémentaires.

« Ce matin-là, Istvan se tenait à peu près six rangs devant moi, au garde-à-vous comme tout le monde. Nous avons entendu les

---

1. ***Tuméfiée*** : gonflée, enflée.
2. ***Kein Ende*** : sans fin (en allemand).
3. ***Calots*** : voir note 1, p. 39.
4. ***Die Augen*** : les yeux (en allemand).

bruits de bottes. Un “*Die Augen !*” a retenti. “*Mützen ab !*” (retirez vos calots). Comme un seul homme, nous nous sommes découverts et avons regardé par-dessus l’épaule gauche. Tout à coup, un silence de mort ! Présumant qu’un imbécile s’était malgré tout trompé de côté, je scrutais du coin de l’œil les rangs de devant. »

Au milieu de son histoire, mon père s’est levé. À côté de sa chaise, il se tient au garde-à-vous, raide comme un i, le calot invisible dans la main droite. Lentement, il lève le bras et indique un endroit dans la pièce où nous, nous ne voyons rien. Son regard pétille. « Imaginez, dit-il. La place pleine de détenus, des crânes rasés à perte de vue. Et là, au milieu, Dieu sait d’où elle peut bien sortir, sur le crâne chauve d’Istvan, une petite voiture rouge en fer-blanc. Il l’avait attachée avec des fils, peut-être des cordes de violon, qui partaient des roues et se rejoignaient sous le menton d’Istvan, où il avait noué les extrémités.

« Ce fut la seule fois, pendant toute ma vie au camp, où je vis les SS perplexes. Bien sûr, leur stupéfaction n’a pas duré longtemps : un court instant, mais un instant pendant lequel un *Untermensch*[1] (un sous-homme), à lui seul, est parvenu à ridiculiser tout le Troisième Reich ; droit comme un i, impassible, jusqu’à ce qu’il soit traîné hors du rang.

« À peine une demi-heure plus tard, on lui a mis la corde au cou, sous les yeux d’un public nombreux. Il nous a fallu défiler devant son corps martyrisé et le regarder sans baisser les yeux pendant deux minutes. Les SS avaient retiré la petite voiture rouge, comme s’ils craignaient que l’envie de rire ne nous soit pas encore passée. »

---

1. ***Untermensch*** : voir lexique, p. 121.

Évacuation

« Ils prétendent qu'au camp personne n'a été tué[1] », dit mon père debout sur le pas de la porte. Il brandit le journal qu'à l'instant il était en train de lire. « De la propagande, ils appellent ça. Toutes ces histoires de privations et de gaz, c'est nous qui les
5 avons inventées. Cela nous amusait d'être prisonniers. »

Ma mère fait des allées et venues entre l'évier et la cuisinière.

« Ils organisent des meetings, dit-il, ils la ramènent de nouveau, ils la ramènent. Et c'est au nom de la liberté d'expression qu'on les laisse faire, cette liberté dont ils voudraient nous priver
10 au plus vite. Aujourd'hui ils prennent le petit doigt, demain, ils prendront tout le bras. »

Ma mère remue la cuiller dans sa casserole.

« Tu entends ce que je te dis ? » demande-t-il. Elle opine : « Oui, mais je ne les vois pas encore défiler. Alors en attendant,
15 je prépare ma sauce pour les fèves. » Elle le regarde. « Pourquoi lis-tu ces choses-là ? dit-elle vivement. Tu sais bien que tu ne le supportes pas. » Il soupire.

« Voilà que je ne peux même plus lire le journal ! Je ne vais tout de même pas fermer les yeux ? Quand les nazis sortiront
20 leurs uniformes de la naphtaline[2], j'aimerais bien être prévenu à temps. »

Le lendemain, je me rends au jardin de M. Maandag. La terre y est meuble[3]. Je commence à creuser à la main. Des scarabées d'un noir brillant partent dans tous les sens, de gros vers de terre
25 se réveillent. Je creuse un trou profond.

---

1. Après la guerre, les négationnistes ont diffusé des théories mettant en question les conditions de détention des déportés, voire l'existence même des chambres à gaz.
2. ***Naphtaline*** : produit permettant de protéger les tissus des mites.
3. ***Meuble*** : molle.

Puis je retourne à la maison. En plusieurs étapes, j'apporte mes jouets dans le jardin. Mes craies de couleur, mes patins à roulettes, mes cubes, ma toupie et son fouet, je jette tout dans le trou. Je viens juste d'y faire tomber les dernières tasses de mon
30 petit service à thé, que Simon apparaît à la grille.

« Qu'est-ce que tu fais ? » demande-t-il.

D'un ton hostile je réponds :

« Rien ! »

Mais il s'approche et se penche en avant.

35 « Pourquoi tu jettes tes jouets ? » demande-t-il en les montrant du doigt.

Je dis tout bas :

« Ne le dis à personne, c'est un secret. Je les enterre parce que, quand les SS arriveront, ils les prendront et les donneront
40 à d'autres enfants.

– Qu'est-ce que cela peut te faire, dit Simon en haussant les épaules. Quand les SS viendront, ils te tueront. Une fois morte, tu ne pourras plus jouer.

– Oui, mais je ne veux pas que Nellie ait mes jouets. »

45 Simon réfléchit.

« Peut-être qu'ils les donneront à Ineke Bogers », avance-t-il pour me consoler.

Hors de moi, je réponds, tout en étalant le sable :

« À Ineke ? Surtout pas elle. Hier, elle a écrasé un hanneton.
50 Et d'ailleurs, elle pue ! »

Après avoir refermé le trou, tous les deux, nous sautons dessus à pieds joints.

« Tu me jures que tu ne le diras à personne ? » Simon hoche la tête.

55 « Pas aux SS non plus ? » Il hoche la tête à nouveau.

Complices, nous refermons la grille derrière nous.

Maintenant que mes jouets ne sont plus là, la maison me semble vide et étrange, comme si, moi aussi, j'étais déjà partie.

Il n'y a que Nounours que je n'ai pas enterré. Il sera gazé avec
60 moi, même si c'est mauvais pour la santé. Pour qu'il s'habitue à l'idée, de temps en temps, je lui donne de grandes claques dans la figure : « *Sauhund! Sauhund!* », « Sale bête, je lui crie, sale bête ! »

La nuit la plus longue

« Tout d'un coup, elle était là, la rumeur. On disait qu'une lettre circulait, venant d'un prisonnier de Bergen-Belsen[1]. Il appelait ce camp *Ferienlager* (camp de vacances) : on y avait plus à manger que dans les autres camps de concentration, le travail
5 y était moins dur et les malades étaient très bien soignés.

« Bientôt, on ne parla plus que de cela. Qui avait envoyé cette lettre ? On l'ignorait. Personne, parmi nous, n'avait eu le document en main propre. Mais tout le monde savait, pour l'avoir entendu dire, qu'il avait été écrit à l'encre sur du papier ligné.
10 Comment cette nouvelle était-elle arrivée jusqu'à nous ? Cela aussi, c'était un mystère.

"Sans doute apportée par un facteur, qui en sifflotant fait la navette à vélo d'un camp à l'autre", avança un de mes amis qui, lui non plus, n'en croyait pas un mot.

15 « Quelques jours plus tard, dans toutes les baraques, des affiches des SS apparurent avec un avis : ceux qui se sentaient

1. ***Bergen-Belsen*** : camp de concentration situé dans le nord de l'Allemagne, entre Hambourg et Hanovre, où décéda Anne Frank. L'expression *Ferienlager* fait référence aux prisonniers trop malades ou incapables de travailler qui y furent transférés à partir de mars 1944. Les plus atteints d'entre eux furent exterminés par des injections mortelles administrées dans l'infirmerie du camp.

trop faibles pour travailler pouvaient s'inscrire pour un transport médical à destination de Bergen-Belsen, qui partirait ultérieurement. Il faudrait faire une partie du trajet à pied. On demandait 20 expressément à ceux qui ne s'en sentaient pas capables de le signaler. Des trains supplémentaires étaient prévus pour eux.

« C'était pendant l'hiver 1944, alors que la majorité des prisonniers ne tenaient pratiquement plus debout. Pour nous, qui étions malades et affamés, il était très tentant de croire à l'exis- 25 tence de cette lettre et d'un camp où nous serions nourris et soignés.

« Je disais aux autres : "Ne vous faites pas avoir. C'est du suicide pur et simple. Ils veulent tout simplement savoir lesquels d'entre nous ne sont plus aptes au travail. Ils s'évitent ainsi la 30 peine de nous sélectionner."

« Pourtant, en dépit de toute logique, dix hommes de notre baraque allèrent s'inscrire. La nuit de leur départ, ils se tenaient serrés les uns contre les autres près de la porte, s'apprêtant à partir aux premières lueurs du jour. La mise en scène était par- 35 faite. On leur avait donné des vêtements neufs, qui étaient, dans la mesure du possible, encore pires que leurs vieilles loques et qui, pourtant, nourrissaient leur imagination car, tout excités, ils parlaient de la nourriture et des soins médicaux qu'ils recevraient à Bergen-Belsen.

40 « Ce fut la nuit la plus longue de ma vie. J'avais la diarrhée et je devais descendre du haut de mon châlit[1], au troisième, pour me rendre aux latrines[2]. Sur mon chemin, je passais devant le petit groupe qui attendait.

« "Viens donc avec nous, me disaient mes camarades, au 45 moins nous serons ensemble. Les copains, c'est tout ce qui nous reste, nous n'avons rien d'autre à perdre."

---

1. ***Châlit*** : voir note 1, p. 19.
2. ***Latrines*** : voir note 2, p. 47.

« Sans cesse je me heurtais à eux, sans cesse leur chant résonnait à mon oreille comme celui des Sirènes et sans cesse je devais me maîtriser pour ne pas les rejoindre. Dès que j'avais regagné 50 mon châlit, j'étais rongé par le doute.

« Bergen-Belsen ne pouvait tout de même pas être pire qu'ici ? Pourquoi ne pas prendre le risque ? Et puis, dans le pire des cas, ne valait-il pas mieux mourir avec les autres que de rester seul ? Je me torturai l'esprit jusqu'à ce que je finisse par trouver le 55 sommeil.

« Le matin, j'aperçus mes amis sur le bord de la place de rassemblement. Ils attendaient en rangs par cinq, avec les autres candidats au transport des malades. Certains s'étaient affublés d'une couverture de cheval, qui battait dans le vent. Pendant 60 l'appel, du coin de l'œil, je les vis partir : un cortège d'épouvantails à moineaux couverts de neige qui, à chaque instant, risquaient de s'envoler. C'est peut-être ce qui est arrivé d'ailleurs, car aucun d'entre eux n'est jamais revenu. »

Les affaires

« Tout ce que nous possédions, les quelques hardes [1] que nous portions, ainsi que notre ration quotidienne de soupe transparente, tout appartenait au Troisième Reich. Il en était de même de notre vie. L'État ne nous en accordait que l'usufruit [2] et pou-5 vait casser le bail à tout instant. Plutôt que d'être assassinés, nous pouvions choisir de nous tuer au travail, ce qui était considéré comme un privilège.

1. ***Hardes*** : vêtements misérables.
2. ***Usufruit*** : jouissance d'un bien dont on n'a pas la propriété.

« Celui qui faisait du troc avec la *Reichseigentum* (la propriété de l'État), par exemple en échangeant de la nourriture contre des cigarettes, ou l'inverse, était passible d'une peine. Il perdait tous ses privilèges et donc la vie, le plus souvent au bout d'une corde. Mais celui qui ne faisait pas des affaires mourait par la force des choses. Il fallait faire des affaires. Le camp était une immense foire au troc [1].

« Peu après mon arrivée, je devins l'associé d'un Français qui travaillait à la laverie. Je m'y précipitais chaque soir après l'appel, il jetait alors une chemise à col droit par la fenêtre. Celles-ci étaient très prisées des chefs de baraque. Je la ramassais, la cachais sous mes vêtements et allais l'échanger dans une baraque de transit où le nombre de prisonniers variait sans cesse, si bien que le chef de baraque avait toujours des portions en trop. Il me payait avec du pain. J'en portais la moitié à mon copain, le Français.

« Une fois, en échange d'une de ces chemises, je reçus un vrai pain de seigle allemand, soigneusement enveloppé dans du papier argenté ! Alors que je repartais, l'air de rien, un Russe qui voulait me l'acheter m'arrêta. Il m'en offrit quinze cigarettes.

« "Quinze ? demandai-je incrédule, car le prix courant d'une ration de pain était de sept cigarettes.

« – Mais oui, dit-il. Le pain, ça m'intéresse toujours."

« Cet homme était une mine d'or. J'achetais une ration de pain au cours normal, sept cigarettes, et la lui revendais pour quinze. Je gagnais chaque fois huit cigarettes. Je devenais de plus en plus riche. Très vite, dans ma baraque, je devins le roi de la débrouille. Quand, le soir, j'entrais dans les latrines [2], les autres prisonniers s'écartaient avec respect. Et pendant que j'étais assis, le pantalon sur les chevilles, ils venaient me proposer toutes

1. Le marché noir s'organisait généralement à partir du « Canada », voir lexique, p. 119.

2. ***Latrines*** : voir note 2, p. 47.

sortes de choses à acheter : une paire de chaussettes, un ceinturon de cuir, les trucs les plus invraisemblables. Ils voulaient les 40 troquer contre des cigarettes. Certains prenaient même une avance de deux cigarettes en échange de la ration de pain qu'ils me vendraient le lendemain.

« J'étais très pris par mon commerce. Jusqu'au jour où le Russe fut gazé inopinément. Heureusement, je m'aperçus vite 45 qu'il était l'intermédiaire d'un autre Russe, un certain Gryshia qui faisait partie d'un *Kommando* de travail [1] s'occupant des colis pour le front. Pour une ration de pain, il payait vingt cigarettes. Son intermédiaire s'en était donc mis chaque fois cinq dans la poche, en guise de commission.

50 « Pendant des semaines, j'ai fait des affaires avec Gryshia. Mais sa fortune finit par lui monter à la tête. Monsieur s'estima trop bien pour aller travailler. Il acheta le chef de baraque et resta au lit, des journées entières en "congé maladie". Cela devait mal finir. Les SS firent un contrôle et l'envoyèrent à la chambre à gaz 55 pour un congé éternel.

« Au camp, tout était éphémère. Celui qui le matin était encore en pleine forme pouvait se retrouver dans le four une heure plus tard. Sans Gryshia, je perdais ma source de revenus.

« Peu après, je fus transféré dans un camp extérieur où je 60 retombai dans une misère noire. »

Marqué

Max est assis devant le réfrigérateur. La porte est grande ouverte. Ses chaussettes gisent sur le sol. Nous demandons :

---

1. ***Kommando de travail*** : voir lexique, p. 120.

« Qu'est-ce que tu fais ? » Mais il nous repousse de la main.

« Laissez-moi, je fais une expérience.

– Tu mets tes pieds dans le frigo ? » s'écrie Simon. Max acquiesce.

« Je veux savoir comment ça fait quand ils sont gelés. »

La petite lampe du réfrigérateur est allumée. Captivés, nous regardons à l'intérieur. Les pieds de Max, quarante-deux de pointure, sont là, posés sur l'edam et les paquets de margarine.

« Ils ne sont pas encore blancs », dit Simon. Max nous repousse.

« Ce n'est pas blancs qu'ils deviennent, mais bleus !

– Arrête, dit Simon, ils vont finir par tomber et tu ne pourras plus faire de patin à roulettes. »

Max hausse les épaules.

« Faire du patin, c'est pour les petits.

– Et marcher ? Marcher, c'est aussi pour les petits ? Je croyais que tu voulais devenir explorateur !

– Plus maintenant, répond Max. Je veux compter pour de bon. Et on ne compte pour de bon que si on a été à moitié mort de faim ou si on a eu le typhus[1]. Un peu gazé, ce ne serait pas mal non plus. En tout cas, il faut être marqué. »

Il prend un regard méchant. Pour le radoucir, Simon demande depuis combien de temps il est là.

« Dix-sept minutes, fait Max en regardant sa montre, et ils ne sont toujours pas raides. Si vous avez le nez dessus, cela ne marchera jamais. »

Il retire ses pieds l'un après l'autre du réfrigérateur et claque la porte. Les bouteilles de lait s'entrechoquent.

« Ils sont toujours là, dit Simon en les montrant du doigt. Ils sont mouillés, c'est tout. Peut-être que tu vas attraper une pneumonie.

---

1. ***Typhus*** : voir note 1, p. 55.

– Une pneumonie, ça ne suffit pas, dit Max. Mais c'est un début. Tout me va !

– Tu es fou ! » crie Simon les larmes aux yeux.

Max lui donne un coup de poing.

« Tout le monde est fou dans cette maison ! dit-il.

– C'est pas vrai », pleurniche Simon. Max rit.

« Et papa est le plus fou de tous. Qu'est-ce que c'est que ce père ? Si maman s'était mariée avec un paysan, au moins on aurait des chevaux et des vaches. »

Il ouvre la porte de derrière et, par l'allée de graviers, se dirige pieds nus vers le jardin. Nous le regardons s'éloigner. Dès qu'il a disparu de notre champ de vision, Simon dit : « Lui, il la ramène toujours ! Mais il ne sait même pas traire une vache. Tu sais traire, toi ? » Je fais non de la tête. « Tu vois bien, dit-il en reniflant. Mieux vaut le camp que les vaches. »

La bête

« En 1944, l'usine[1] fut bombardée, dit-il. Sous le sol en béton, il y avait un boyau d'un mètre de large au maximum, où passaient les conduits de gaz. On y accédait par un trou d'homme ménagé au pied du mur extérieur, il était généralement fermé par un couvercle en fer. Dès la première bombe, les SS retirèrent le couvercle et nous poussèrent contre le mur : "*Hinunter Schweine !*" (En bas, bande de porcs !) Peu leur importait comment nous arrivions en bas. La plupart d'entre nous ne pouvaient même pas s'agripper à la petite échelle, nous tombions en

1. ***L'usine*** : voir note 3, p. 45.

arrière, la tête la première. Comme nous ne dégringolions pas assez vite, les SS dirigèrent la lance à incendie sur nous. Ce qui fait que nous étions littéralement précipités en cascade.

« Trempés et claquant des dents, nous sommes restés collés les uns contre les autres pendant tout le bombardement. La terre tremblait, le boyau était secoué dans tous les sens, et nous avec. Les craquements inquiétants du conduit de gaz dans notre dos n'étaient pas faits pour nous remonter le moral. Nous sommes restés enfermés trente-six heures. Quand enfin nous avons pu remonter, la fumée qui nous enveloppait était si épaisse que nous ne savions pas si c'était le jour ou la nuit. Cela venait peut-être aussi du fait que nos yeux, de peur, s'étaient enfoncés loin dans nos orbites et se baladaient quelque part au fond de nos têtes.

« Hagards, nous avancions au hasard. Je fuis la fumée et arrivai dans une partie de l'usine en feu. Je me trouvai nez à nez avec Willi Hammer[1]. Sa manche avait pris feu. Il tapait les flammes avec son calot[2]. Comment il s'était mis dans cette situation, je l'ignorais, mais je savais qu'il n'en sortirait pas vivant.

« Dès qu'il m'aperçut, il fouilla dans la poche de son pantalon. Mais à peine avait-il sorti la chaîne avec la boule de plomb que j'étais déjà sur lui et lui serrais la gorge avec.

– Il est mort ? demande Max. Il est mort ? » Mon père hoche la tête.

« Je l'ai étranglé. » Il écarte les doigts et les regarde comme s'ils ne lui appartenaient pas. « C'est quelque chose que je ne pardonnerai jamais à ces misérables. Ils ont tout fait pour faire de moi une bête. Un nouveau chapitre de la création, dit-il, cynique. Allons, faisons l'homme à notre image ! Et ils ont réussi. Je suis devenu comme eux. Je ne peux plus me regarder dans une glace sans me trouver nez à nez avec un assassin. » Il baisse la tête et murmure : « Je serais prêt à tout pour ramener Willi Hammer à

---

1. ***Willi Hammer*** : voir note 3, p. 17.
2. ***Calot*** : voir note 1, p. 39.

la vie. À tout ! Je prierais pendant des semaines. Je descendrais aux Enfers pour aller le chercher, même si le chemin était parsemé d'éclats de verre et que je devais le faire sur le ventre. »

Max se place derrière la chaise de mon père et lui pose la
45 main sur l'épaule.

« Alors tu n'es pas une bête, dit-il d'un ton compatissant, car les bêtes n'ont pas de remords.

– Des remords ? » Mon père, en relevant la lèvre supérieure, montre des dents dans un rictus menaçant. « Des remords ! Je ne
50 veux le faire revivre que pour pouvoir le tuer à nouveau. À l'époque, je suis allé beaucoup trop vite en besogne. Cette fois, je prendrais tout mon temps. Calmement, j'augmenterais la pression, petit à petit. De temps en temps, je lui donnerais juste assez d'air pour se débattre et hurler. La seule chose que je regrette,
55 c'est de ne pas avoir fait durer assez longtemps sa peur de la mort. »

Nous ne disons plus rien. Simon prend un peu de son lait, mais n'ose pas l'avaler. Maintenant nous comprenons pourquoi mon père, la nuit, tord le cou à son oreiller. Il s'entraîne pour le
60 jour où il aura extirpé Willi de l'enfer. Il veut arriver à maîtriser parfaitement l'art de la strangulation [1].

Popolski

« Et quand nous avons cru que le pire était passé, dit mon père, il y a eu la marche de la mort [2]. L'Armée rouge [3] étant à une dizaine de kilomètres, on nous a obligés à quitter le camp.

---

1. ***La strangulation*** : le fait d'étrangler quelqu'un.
2. ***Marche de la mort*** : voir lexique, p. 120.
3. ***L'Armée rouge*** : voir note 1, p. 8.

– Où alliez-vous ? demande Max.

– Nous partions pour une destination inconnue. Le but était de nous liquider. Des prisonniers étaient entassés dans des trains qui roulaient sans destination précise à travers toute l'Europe. D'autres perdaient la vie sur des bateaux qu'on faisait couler. Certains allaient dans des camps en dehors de la zone de combats. Et nous, nous devions marcher jusqu'à ce que nous nous écroulions.

– Mais pourquoi ? demande Max. Ça n'avait aucun sens. » Mon père sourit.

« Ce non-sens s'inscrivait parfaitement dans la logique national-socialiste. Jusqu'à la dernière minute, les troupes continuèrent à obéir à leur Führer. Les SS et les chiens aux talons, nous étions trimbalés d'un village à l'autre. Un spectacle ridicule. Pourquoi nous tirer dessus ? Nous ne pouvions plus nous enfuir. En fait, nous étions déjà morts, mais ils nous avaient si bien dressés que même notre carcasse répondait aux ordres. »

Il allume une cigarette. Une autre, oubliée, se consume dans le cendrier.

« L'évacuation avait commencé à l'aube. Les uns après les autres, des groupes disparaissaient au-delà du portail. Le soir, nous nous trouvions encore au camp, nous avons pillé les baraques vides. Dans le placard d'un *Kapo*, j'ai trouvé une couverture, du dentifrice et treize boîtes de pâté de foie gras de la firme Weisz à Budapest. Je les ai avalées sur placc. Nous avions dormi une heure à peine, lorsqu'un coup de sifflet a retenti. Il fallait se rassembler et, en pleine nuit, nous sommes partis au pas.

« Au bout de six kilomètres, à peu près, nous avons trébuché sur les corps des malades de l'infirmerie, qui avaient été les premiers à succomber. D'ailleurs, nous étions en piteux état, nous aussi. Je souffrais de sous-alimentation, et à chaque pas la tête me tournait. La couverture sur mes épaules pesait une tonne, je dus l'abandonner. Le dentifrice, je l'ai gardé dans ma poche. De toutes les horreurs de ce périple, la soif fut la pire. Je pressais de temps en temps le tube de dentifrice sur mon doigt et le portais discrètement à ma bouche. Ma langue qui saignait me brûlait, mais le dentifrice contenait de l'eau.

« Pendant des semaines, nous avons marché. Là où nous passions, nous laissions une kyrielle[1] de morts derrière nous : le Petit Poucet, version allemande. Il nous arrivait de marcher douze heures d'affilée, une autre fois vingt heures ou plus. Quand ça leur passait par la tête, les SS criaient : "*Kolonne halt !*" et nous avions le droit de nous reposer sur le bord de la route. Pendant notre marche, nous dépassions d'autres colonnes assises sur le bas-côté qui, à leur tour, allaient nous rattraper. Les yeux de ces hommes étaient comme des centaines de miroirs qui nous renvoyaient l'image de notre propre misère.

« Seuls les Polonais étaient encore en forme. Alors que nous avancions avec peine, eux, sur le talus, se tapaient le ventre en se moquant de nous. Ils nous insultaient et nous crachaient dessus. Nous aurions aimé leur sauter à la gorge, mais il n'en était pas question : celui qui quittait les rangs recevait immédiatement une balle dans la nuque.

« Je ne sais pas combien de temps les Polonais ont mis avant de commencer à crever eux aussi. Un après-midi, nous sommes arrivés à un carrefour où ils étaient tombés comme des mouches. Leurs cadavres gênaient le passage, il nous fallut les enjamber. J'avais la plus grande peine du monde à lever les pieds, mais, tout à coup, je me sentis devenir léger comme une plume. Je sautais facilement d'un Polonais à l'autre. J'aurais même grimpé allègrement au sommet d'une colline, si elle avait été faite de cadavres polonais.

« Un peu plus loin, un groupe était affalé sur le talus, trop épuisé pour nous insulter. Les réserves qu'ils avaient emportées du camp avaient fondu et leur statut n'était plus que celui de

---

1. ***Kyrielle*** : suite ininterrompue, série interminable.

70 n'importe quel détenu. Dès que nous nous sommes approchés, nous leur avons montré les dents comme des chiens et nous avons levé le poing dans leur direction.

« Nous leur avons lancé : "Alors, Popolski ! là-bas, au carrefour, vos cadavres s'amoncellent." »

75 Mon père se fige, la bouche ouverte. Il serre si fort les poings que le sang s'en retire.

« Il y avait sûrement des Polonais qui n'étaient pas comme ça ? demande Max, d'un ton presque suppliant.

– Oh, sans doute, dit mon père, mais ils se sont bien cachés 80 ceux-là, car je n'en ai jamais rencontré un seul.

– C'est horrible ! dit Max. Vous étiez plus morts que vivants et vous continuiez à vous haïr comme chiens et chats. » Mon père ferme les yeux.

« Sans la liberté et l'égalité, soupire-t-il, pas de fraternité non 85 plus, visiblement. »

Alors que Simon et moi nous nous brossons les dents au lavabo, Simon glisse le tube de dentifrice dans la poche de son pyjama.

« On l'emporte à l'école, demain, chuchote-t-il.

90 – Comment ça ? On ne va tout de même pas faire la marche de la mort ?

– On ne sait jamais, répond-il, il peut se passer tellement de choses ! »

Scheisse

« J'atteignis enfin un camp de transit russe situé à la limite de la zone américaine. Je m'aperçus alors que je n'étais pas encore au bout de mes peines. Les Soviétiques nous promettaient d'organiser un transport, mais ils n'avaient pas l'intention de faire le moindre effort. Pourquoi l'auraient-ils fait ? Est-ce que nous n'étions pas bien chez eux ? Oh si, nous y étions sacrément bien, si bien que la plupart d'entre nous en crevaient.

« Rien que pour le petit déjeuner, nous avions un demi-pain et un litre de soupe aux pois, bien grasse. À midi et le soir, nous mangions la viande des cerfs que les soldats russes abattaient à la mitraillette par dizaines. Ça m'étonnerait fort que de nos jours il reste le moindre cerf dans ces forêts.

« Bien sûr, nos intestins n'étaient pas prêts à supporter une telle quantité de nourriture. Nombreux étaient les musulmans [1] qui se goinfraient sans retenue.

« Dans tous les coins, des hommes crevaient dans leur propre merde.

« Nous dormions dans une grange immense. J'y passais une grande partie de la journée à sommeiller. J'avais placé une botte de foin sous chacune de mes fesses en laissant un espace au milieu pour laisser mes excréments s'écouler. Cela me permettait de rester à peu près propre.

« Les semaines passaient. Tous les après-midi, nous voyions arriver des militaires américains. Leurs Jeep étaient pleines de rhum, de Coca-Cola et de cigarettes. Ces vauriens faisaient la fête avec les filles de l'Armée rouge [2]. Le soir, ils se jetaient dans la paille, les pantalons d'uniforme volaient de tous côtés. Vers trois heures du matin, ils regagnaient leur zone, complètement saouls. Nous, ils oubliaient de nous emmener. Le lendemain c'était le tour d'une autre équipe de prendre part aux réjouissances : danser, se saouler et baiser, alors que nous, quelques mètres plus loin, nous étions en train de crever.

---

1. ***Musulmans*** : nom donné aux détenus décharnés et marqués par la mort *(N.d.T.)*.
2. ***L'Armée rouge*** : voir note 1, p. 8.

«Mais, un beau jour, un camion britannique arriva. Des jeunes filles russes accoururent immédiatement pour mettre 35 l'électrophone[1] en marche et servir la vodka. Mais les Anglais dirent : "Vodka, *niet !* Signez ici !" Ils choisirent dix musulmans et j'étais du lot.

«Pour arriver dans un camp de transit britannique, il fallait traverser la zone américaine. Nous avions la dysenterie[2] et avons 40 demandé au chauffeur de s'arrêter.

«"*Impossible !*" a répondu l'officier qui se trouvait avec nous dans la remorque. "S'ils vous trouvent, les Américains vous renverront tout droit chez les Russes. D'après les consignes, ce sont eux qui doivent vous sortir de là. Qu'ils ne le fassent pas, ça, 45 c'est une autre histoire. Les Alliés sont dans ce pays pour tenter de le ramener à une vie normale. Les Américains ont une façon bien à eux d'appliquer la consigne."

«Nous avons donc roulé d'une traite jusqu'à une grande villa allemande, que les Anglais avaient aménagée en quartier général. 50 Nous avons été accueillis à bras ouverts. Quelques secrétaires nous ont servi du thé et des biscuits, recouverts d'une épaisse couche de beurre. Nous les avions à peine avalés que nous sautions par la fenêtre ouverte. Sur la pelouse, lisse comme un billard, nous avons baissé nos pantalons. La théière à la main, 55 les jeunes filles nous regardaient poliment souiller le gazon comme des chiens.

«– Mon Dieu, dit Max en soupirant, je serais mort de honte.»

Mon père sourit. «Nous nous disions ; "On les emmerde tous." La merde, c'était la seule chose qui nous restait !»

1. ***Électrophone*** : appareil électrique qui permettait d'écouter des disques.
2. ***Dysenterie*** : voir note 3, p. 15.

Bette

« Je ne me rappelle pas où j'avais bien pu le dégoter, dit mon père. Mais je portais un pardessus qui avait appartenu à un général allemand, un gris avec des épaulettes dorées. Il m'arrivait presque aux chevilles. La nuit, il me servait de couverture ou, roulé en boule, d'oreiller. Mais le plus souvent, je le portais sur mes hardes [1] du camp de concentration.

« Depuis ma libération, je n'avais toujours pas pris de bain. Avec une lance, les Russes aspergeaient quotidiennement les manches et les jambes de mon pantalon de nuages de DDT [2]. Malgré ce traitement, les poux continuaient à grouiller sur ma tête. Les Anglais aussi utilisaient du DDT. On m'interdisait de me laver en entier, sans doute parce que la fièvre persistait.

« Un beau jour, nous sommes arrivés à un camp de transit sous contrôle français. Tout excités, ils vinrent à la rencontre de notre camion. De loin, ils me prirent pour un général allemand, jusqu'au moment où ils découvrirent mon visage décharné entre les épaulettes.

"Imbécile ! s'écria le commandant. Ça t'amuse de te promener dans cette tenue ?"

« Je lui expliquai que je n'avais rien d'autre à me mettre. Il a tout de suite envoyé des soldats au village le plus proche, avec l'ordre de réquisitionner des vêtements. Nous avons même eu droit à un bain. Dans la cour intérieure, il y avait une grande mangeoire à chevaux. Des prisonniers SS apportaient des seaux d'eau pour la remplir. À cinq musulmans [3] à la fois, nous nous y sommes précipités.

---

1. ***Hardes*** : voir note 1, p. 104.
2. ***DDT*** : nom d'un insecticide utilisé notamment pour éliminer les parasites à l'origine du typhus dont souffraient de nombreux prisonniers des camps.
3. ***Musulmans*** : voir note 1, p. 114.

« Cet après-midi-là, plusieurs camions arrivèrent, remplis de Français qui avaient été envoyés en Allemagne pour le travail obligatoire. Ils étaient entassés dans la remorque, au-dessus de laquelle flottait le drapeau français, et chantaient à tue-tête des chants socialistes. Dès que nous les avons aperçus, nous sommes sortis de la mangeoire et, tout nus, nous leur avons fait de grands signes. Ils ont poussé le battant, ont sauté à terre et ont dansé avec nous autour des camions en chantant *La Marseillaise*. »

Tout en parlant, mon père s'est levé. Il dresse les bras et sautille bizarrement à travers le salon. Il chante : « Allons enfants de la patrie, le jour de gloire est arrivé ! » Ça ressemble plus à une chanson russe que française. Un peu gênés, nous le regardons. Dès qu'il a fini, il va derrière la chaise où est assise ma mère et l'embrasse sur la bouche.

« Et après ? demandons-nous.

– Le soir, les soldats sont revenus avec des vêtements. On m'a donné une queue de pie de drap noir, à l'ancienne, ornée de tresses impressionnantes. Elle avait appartenu à un député du Reichstag[1], un nain à mon avis, car les manches m'arrivaient aux coudes et les pans à la taille. Pour le pantalon, cela n'était guère mieux. J'avais l'air de m'être échappé d'un cirque. C'est dans cet accoutrement que, des semaines plus tard, j'arrivai à la maison, chez Bette. »

Il se penche au-dessus de ma mère.

« Tu te souviens ? dit-il. En pleine rue, tu m'as sauté au cou, mais j'étais si faible que je suis tombé à la renverse, sur le pavé. »

Il rit. « Tu étais allongée sur moi et tu te lamentais : "Qu'est-ce qu'ils t'ont fait, Jochel, qu'est-ce qu'ils t'ont fait ?" »

De grosses larmes coulent des yeux noirs de ma mère. Affolés, nous observons son visage. Aujourd'hui, nous le voyons

---

1. ***Reichstag*** : nom d'une des deux assemblées législatives d'Allemagne (équivalent de l'Assemblée nationale en France).

pour la première fois. C'est le visage de la « chérie » de papa. Elle s'appelle Bette et elle l'a attendu.

« Je me souviens de tout, dit-elle calmement, tandis que ses joues brillent de larmes, de tout. »

LEXIQUE

Antisémitisme : forgé en 1879 par le journaliste allemand Wilhelm Marr, ce terme désigne une doctrine prônant l'hostilité à l'égard des Juifs.

Aryen : individu issu d'un peuple nomade de l'Antiquité, de race blanche et venant de Perse ; utilisé dans les doctrines racistes, le terme fait référence à la prétendue supériorité de la race blanche.

Camp de concentration : structure d'incarcération nazie créée dès l'arrivée au pouvoir de Hitler (1933) afin de « redresser » les individus jugés nuisibles au peuple allemand.

Camp de mise à mort : situés en Pologne, les six camps de mise à mort du régime nazi (Chelmno, Belzec, Sobibor, Treblinka, Auschwitz-Birkenau et Majdanek) étaient dotés d'installations destinées à perpétrer des meurtres de masse, notamment parmi les populations juive et tsigane.

Canada : les objets personnels des déportés étaient confisqués à l'arrivée dans les camps de concentration et de mise à mort, puis triés et réacheminés en Allemagne. Les prisonniers d'Auschwitz appelèrent l'entrepôt dédié à ce tri « Canada » en raison de la richesse que symbolisait pour eux ce lointain pays.

Chambre à gaz : lieu au sein duquel était donnée la mort par asphyxie, avec des gaz toxiques comme le Zyklon B, qui permettaient d'exterminer des milliers de personnes par jour. Pour éviter les révoltes et les effets de panique, les chambres à gaz avaient l'apparence de douches communes.

Crimes contre l'humanité : catégorie d'accusation définie en 1945 à Nuremberg venant confirmer les principes du droit international. Elle désignait alors « l'assassinat, l'extermination, la réduction en esclavage, la déportation, et tout acte inhumain inspiré par des motifs politiques, philosophiques, raciaux ou religieux et organisé en exécution d'un plan concerté à l'encontre d'un groupe de population civile ». Cette définition a depuis lors été largement modifiée et étendue.

Espace vital (*Lebensraum*) : concept germanique élaboré au XIXe siècle et qui fut exploité par Hitler pour désigner le territoire nécessaire à l'épanouissement des Aryens. Il justifiait ainsi la volonté d'expansion du territoire allemand.

Extermination : traduction française des termes *Vernichtung* et *Ausrottung* utilisés alternativement par le Reich pour signifier l'assassinat des Juifs.

Four crématoire : four destiné à l'incinération des cadavres, utilisé notamment dans les camps de mise à mort des Juifs afin d'accélérer le processus génocidaire et d'en effacer les traces.

Génocide : terme utilisé pour signifier la « destruction d'une nation ou d'un groupe ethnique ». Dans l'acte d'accusation de Nuremberg, il désigne « l'extermination de groupes raciaux parmi la population civile de certains territoires occupés afin de détruire des races ou classes déterminées de populations ».

Ghetto : ce mot apparaît pour la première fois au Moyen Âge lors de la création du ghetto de Venise, en Italie. Il désignera ensuite les quartiers créés à partir de 1939 par les nazis en Pologne et destinés à interner les Juifs dans des espaces fermés à l'intérieur des villes. Les conditions sanitaires déplorables qui y régnaient entraînaient une forte mortalité. La création des ghettos marque le début de la mort massive des Juifs en Europe.

Holocauste : le terme, souvent employé par les historiens anglo-saxons, désigne le génocide des Juifs mais comporte une connotation de sacrifice religieux. Il a été remplacé par le terme « Shoah », qui signifie « catastrophe » en hébreu.

Jeunesses hitlériennes (*Hitlerjugend*) : organisation paramilitaire du parti nazi destinée à endoctriner et à entraîner militairement la jeunesse allemande.

Kapo : dans l'argot des camps, détenu non juif chargé de surveiller et d'encadrer les autres prisonniers, à l'intérieur comme à l'extérieur du camp. En échange, il bénéficie de privilèges de la part des SS.

Kommando : terme allemand qui désigne les différents groupes de prisonniers sélectionnés pour effectuer des travaux à l'intérieur et à l'extérieur du camp.

Marches de la mort : processus d'évacuation des camps mis en œuvre par les nazis face à l'avancée de l'Armée rouge, contraignant les prisonniers à des marches inhumaines. L'évacuation des camps correspond à une volonté du régime nazi de ne laisser aucun témoin de l'horreur et d'éliminer les derniers déportés par la fatigue.

REICH (LE), IIIe REICH OU GRAND REICH : territoire formé par l'Allemagne et les régions annexées par le régime de Hitler à partir de 1938. L'expansion de l'Allemagne est liée au concept du *Lebensraum* (« espace vital »).

SA (*STURMABTEILUNG*) : les « sections d'assaut » ou « bataillons d'assaut » constituent une organisation paramilitaire du parti national-socialiste créée en 1921. Identifiable aux « chemises brunes » de ses membres, elle avait pour but de protéger le parti dirigé par Hitler et de troubler les réunions socialistes et communistes.

SÉLECTION : processus intervenant à l'arrivée des déportés et propre au camp de concentration et de mise à mort d'Auschwitz. La double fonction du camp permettait à une infime minorité de Juifs d'échapper provisoirement à l'extermination. Certains étaient ainsi utilisés comme force de travail après une « sélection ».

SHOAH : terme hébreu signifiant « catastrophe » et utilisé pour désigner le génocide des Juifs d'Europe par les nazis.

SOLUTION FINALE : la « solution finale à la question juive », abrégée en « solution finale », est le nom de code nazi donné à l'extermination systématique des Juifs d'Europe. Cette « solution » a été appliquée dès 1941 avec l'invasion de l'URSS par l'Allemagne.

SONDERKOMMANDO : unités spéciales des « camps de la mort », composées de prisonniers, juifs pour la plupart, affectés aux chambres à gaz et à la crémation des corps, forcés de seconder les nazis dans leur entreprise d'extermination.

SPOLIATION : action de déposséder quelqu'un par la violence ou par la ruse. Dans le contexte de la Seconde Guerre mondiale, désigne le vol des biens des Juifs mis en œuvre en Allemagne et dans nombre de pays d'Europe entre 1933 et 1945.

SS (*SCHUTZSTAFFEL*) : littéralement, « groupe de protection » ; les SS ont été créés en 1925 pour servir de gardes du corps personnels à Hitler. Dirigés par Himmler, ses membres deviendront ensuite les gardiens des camps de concentration et de mise à mort du régime nazi.

UNTERMENSCH : dans l'idéologie nazie, le Juif, le Slave ou encore le Tzigane était considéré comme un sous-homme en opposition au surhomme (*Übermensch*) qu'était l'Aryen.

Wannsee (conférence de) : le 20 janvier 1942, quinze hauts fonctionnaires du parti nazi et de l'administration allemande se réunirent dans une villa de Wannsee, dans la banlieue de Berlin, pour discuter des aspects logistiques de ce qu'ils appelèrent « la solution finale à la question juive », « solution » dont la mise en œuvre avait débuté à l'été 1941 avec l'invasion de l'URSS.

Wehrmacht : signifiant « force de défense », la Wehrmacht, est le nom attribué à l'armée allemande sous le IIIe Reich afin de rompre avec la désignation *Reichswehr* issue du traité de Versailles. La Wehrmacht était composée de l'armée de terre (*Heer*), de la marine de guerre (*Kriegsmarine*) et de l'armée de l'air (*Luftwaffe*, interdite par le traité de Versailles).

DOSSIER

Entrer dans l'œuvre

Microlectures

Contre l'oubli (groupement de textes n° 1)

Le difficile retour des camps : une écriture de la survivance (groupement de textes n° 2)

Parcours sur le Web

Histoire des arts

Un livre, un film : *Le Fils de Saul* de László Nemes (2015)

Entrer dans l'œuvre

Mon père couleur de nuit en 20 questions

1. Dans le chapitre « Mignon » (p. 36), que dessine la narratrice après avoir raturé son dessin de pendu ? En quoi son dessin est-il différent de celui des autres élèves ?

2. Pourquoi Sigismond la Brute n'a-t-il « pas perdu un seul gramme » au camp ? (p. 40)

3. Pourquoi le père ne souhaite-t-il pas que la mère suspende un écriteau invitant les enfants à se brosser les dents ?

4. Expliquez le titre du chapitre intitulé « Volatilisé » (p. 43).

5. À quelle date et dans quelle ville le procès d'Adolf Eichmann[1] a-t-il lieu ? Comment est-il présenté par la fille ? par le père ?

6. À la fin du chapitre « Nostalgie », pourquoi la petite fille dit-elle que « ce sont peut-être ses ennemis qui [...] manquent le plus » à son père ? (p. 56)

7. Pourquoi la narratrice comprend-elle que « les cowboys étaient, en fait, des SS » ? (p. 64)

8. De quelle maladie Jochel est-il atteint ? Où doit-il se rendre pour se faire soigner ?

9. Où se cachait-il avant la guerre ? Comment occupait-il son esprit ?

10. En quoi le chapitre « La bête » (p. 108) est-il empreint de références religieuses ?

11. Quelle réflexion de Jochel déclenche la colère de Max à l'encontre de son père (chapitre « Questions », p. 84) ?

12. À quoi fait référence l'expression « *Lebensraum* » (chapitre « Le hasard », p. 89, et lexique, p. 120) ?

---

1. ***Adolf Eichmann*** : voir note 1, p. 47.

13. En quoi la réponse de la petite fille à la question de la maîtresse « qu'est-ce que tu veux être plus tard ? » (p. 92) contraste-t-elle avec celles de ses camarades de classe ?

14. Dans le chapitre « Football » (p. 93), pourquoi Jochel refuse-t-il de répondre à la question de Max concernant son pire souvenir des camps ? Que lui répond-il finalement ?

15. Quel acte de défiance et de moquerie Istvan accomplit-il lors de l'appel ? En quoi est-il parvenu, un court instant, à ridiculiser le IIIe Reich ?

16. Que fait Max pour être « marqué » comme son père ? Pourquoi ? (chapitre « Marqué », p. 106)

17. À quel ultime acte de torture les SS [1] ont-ils soumis les prisonniers avant l'arrivée imminente de l'Armée rouge [2] ? Pourquoi Jochel qualifie-t-il cet acte de « Petit Poucet, version allemande » ?

18. Qui est désigné par l'expression « Popolski » ? Pourquoi employer une telle expression ?

19. Pourquoi, alors qu'ils étaient presque sauvés, certains prisonniers mouraient-ils dans les camps de transit russes ?

20. Sur quelle image le roman se termine-t-il ?

Le contexte historique en 10 questions

En vous appuyant sur la Présentation (p. 5-21), sur le site Internet de l'Encyclopédie multimédia de la Shoah (**www.ushmm.org/fr/holocaust-encyclopedia**) et sur la « Brève histoire de l'Holocauste aux Pays-Bas » du site du Centre commémoratif de l'Holocauste [3] à Montréal (**www.mhmc.ca**), vous répondrez aux questions suivantes.

1. Qu'est-ce qui fut mis en place lors de la conférence de Wannsee ?

2. Qui sont les SS et quel était leur rôle dans le régime nazi ?

---

1. ***SS*** : voir lexique, p. 121.
2. ***L'Armée rouge*** : voir note 1, p. 8.
3. ***Holocauste*** : voir lexique, p. 120.

3. Qui sont les *Kapos* et quelle fonction remplissaient-il dans les camps de concentration ?

4. Quels sont les principaux camps de mise à mort nazis pendant la Seconde Guerre mondiale ?

5. Qu'a mis en place le décret « *Nacht und Nebel* » (« Nuit et Brouillard ») ?

6. À quelle date la déportation des Juifs commença-t-elle aux Pays-Bas ?

7. La création du camp de Westerbork, situé dans le nord-est des Pays-Bas, a participé à la mise en œuvre de la « solution finale[1] ». Quelle était sa fonction ?

8. Combien de Juifs néerlandais ont-ils été tués par les nazis ? Quelle proportion de la population juive vivant alors aux Pays-Bas ce chiffre représente-t-il ?

9. Quel événement devint le symbole de la Résistance néerlandaise face aux persécutions subies par les Juifs ?

10. Quelle fut l'attitude de l'État hollandais à l'égard des rares survivants de la Shoah ?

Entraînement à l'oral

Proposez un exposé sur les génocides du XXe siècle. Vous vous appuierez sur votre connaissance du génocide des Juifs d'Europe mais aussi sur vos recherches concernant les génocides arménien et tutsi.

1. ***Solution finale*** : voir lexique, p. 121.

Microlectures

MICROLECTURE N° I : « avoir le camp », l'image de la souffrance dans le récit

Relisez le chapitre « Le camp » (p. 35-36) et répondez aux questions suivantes.

Le regard de l'enfance

1. Qui est le narrateur de ce récit ?

2. Observez la manière dont les camps sont désignés. Comment la parole de l'enfant déforme-t-elle la réalité ?

3. Montrez comment l'écriture mime la spontanéité et la simplicité de l'enfant.

Une maladie mystérieuse

1. Observez et relevez le lexique de la maladie.

2. Comment se manifeste le mal dont est atteint le père de famille ?

3. Quelle place occupe le thème du regard dans cet extrait ? Vous montrerez que la narratrice est la seule à voir la douleur.

Un chapitre programmatique[1]

1. Relevez le champ lexical de l'enfermement dans ce chapitre.

2. Quel rôle joue le loup dans l'extrait ?

3. Expliquez la réflexion de Max à propos de sa sœur : « elle est encore trop petite pour le zoo » (l. 39).

---

1. ***Programmatique*** : qui annonce la suite.

MICROLECTURE N° 2 : les formes de la cruauté ordinaire dans le camp

Relisez le chapitre « Willi » (p. 60-62) et répondez aux questions suivantes.

Un monstre préhistorique

1. Quel portrait ce chapitre dresse-t-il du *Kapo*[1] ? Comment s'organise-t-il ?

2. En quoi, dans les camps, les *Kapos* comme Willi étaient-ils des alliés précieux pour les SS ?

Le goût de la barbarie

1. Observez et relevez le vocabulaire affectif dans cet extrait. En quoi révèle-t-il le caractère particulièrement pervers du *Kapo* ?

2. Pourquoi Willi ne se sert-il pas de sa « boule de plomb » pour battre Jochel ?

3. Quelle(s) raison(s) explique(nt) la violence de Willi envers les prisonniers placés sous sa surveillance ?

Une dépendance réciproque

1. Selon vous, « à quoi » Willi est-il finalement parvenu avec Jochel ?

2. Expliquez pourquoi Jochel affirme : « je lui étais supérieur » (l. 54).

MICROLECTURE N° 3 : l'irruption du merveilleux et le mélange des genres

Relisez le chapitre « Le caleçon » (p. 86-89) et répondez aux questions suivantes.

---

1. ***Kapo*** : voir lexique, p. 120.

L'obsession des choses simples

1. Comment l'expérience du père apporte-t-elle un éclairage nouveau aux représentations des prisonniers dans les documents historiques ?

2. Expliquez cette phrase de Simon : « Sans caleçon, la vie a-t-elle encore un sens ? » (l. 41). Cette remarque traduit-elle la vision d'un enfant ?

3. En quoi la privation de sous-vêtement est-elle révélatrice de la volonté de déshumaniser les prisonniers ?

Une récriture de conte

1. À quel genre littéraire appartient le récit proposé par Jochel à partir de la phrase « Attends, dit-il, j'ai oublié quelque chose ! » (l. 44).

2. Quelle place occupe le merveilleux dans ce passage ?

3. Relevez les éléments qui confèrent une tonalité comique à cet extrait. Quelle est leur fonction ?

Une morale édifiante et lucide

1. Observez la construction du récit. Est-il structuré en suivant un schéma narratif traditionnel ?

2. Quelle morale le lecteur tire-t-il de sa lecture ?

3. En quoi le caleçon symbolise-t-il l'espoir ?

MICROLECTURE N° 4 : **la relation filiale mise à l'épreuve**

Relisez le chapitre « Football» (p. 93-95) et répondez aux questions suivantes.

Un questionnement naïf

1. Montrez que père et fils ne se comprennent pas au début du chapitre. Quel mot cristallise la colère de Max ?

2. Pourquoi la hiérarchie des douleurs et des souffrances est-elle impossible à établir ?

3. Pourquoi Max a-t-il l'impression de ne jamais être à la hauteur face à son père ?

Un père extraordinaire

1. Qu'est-ce qu'un père normal pour Max ? En quoi ses reproches révèlent-ils une vérité difficile à dire ?

2. Comment la colère s'exprime-t-elle dans ce chapitre ?

3. Quel portrait de son mari Bette dresse-t-elle dans cet extrait ?

Choquer pour mieux faire comprendre

1. Relevez les expressions du pathétique[1] dans ce chapitre.

2. Expliquez en quoi, à travers l'évocation du football, cet extrait propose une pédagogie qui recourt à l'effroi. Vous commenterez l'ironie contenue dans les notions de « jeu » et de « festivités » mentionnées par le père de famille.

3. Qu'est-ce qui, finalement, était le pire pour Jochel dans le camp ? En quoi sa réponse constitue-t-elle un vibrant hommage aux victimes ?

---

1. ***Pathétique*** : style ou genre littéraire qui suscite de l'émotion.

Exercice d'entraînement à l'oral : le dialogue théâtral

Le chapitre « Football » transcrit le conflit entre Max et ses parents. Vous imaginerez une mise en scène théâtrale du dialogue contenu dans ce chapitre. Pour cela, vous annoterez d'abord le texte à l'aide de commentaires sous la forme de didascalies, puis vous l'interpréterez en classe, par groupes.

Exercice d'entraînement à l'écrit : faire un portrait

Personnage important, Bette est pourtant à peine décrite dans *Mon père couleur de nuit*. Imaginez, en deux paragraphes, le portrait que Jochel pourrait faire d'elle.

Sujet d'invention : imaginez la suite !

Imaginez une suite au récit de *Mon père couleur de nuit* qui commencerait par la dernière phrase : « Je me souviens de tout, dit-elle calmement, tandis que ses joues brillent de larmes, de tout » (p. 118).

Contre l'oubli

(groupement de textes n° 1)

Pour lutter contre l'oubli qui guette tout événement historique, même le plus dramatique, les écrivains se sont engagés à faire vivre la mémoire de la Shoah. Qu'ils en aient été les témoins directs, comme Primo Levi et Jean Cayrol [1], ou les victimes indirectes comme Georges Perec et Carolina Klop (Carl Friedman), ils transmettent dans leurs œuvres la nécessité du « devoir de mémoire ». Ce corpus permet d'envisager les enjeux et les moyens mis en œuvre pour y parvenir. L'écriture, journalistique (textes 1 et 2), autobiographique (texte 3) ou poétique (textes 4 et 5), interpelle le lecteur et l'incite à mener, à son tour, une réflexion mémorielle.

Carl Friedman, *Le Parapluie de Dostoïevski* (2001)

Carl Friedman a rédigé des chroniques pour le journal *Trouw*. En 2001, une sélection de ses articles a été publiée sous le titre *Dostojewski's paraplu* (*Le Parapluie de Dostoïevski*). Certains d'entre eux ont été traduits en français et ont paru dans la revue *Septentrion*. Dans le texte qui suit, l'auteur s'interroge sur l'édification du mémorial de l'Holocauste à Berlin [2].

---

1. ***Jean Cayrol*** (1911-2005) : poète, essayiste et éditeur français, ancien résistant, il obtient le prix Renaudot en 1947 pour son roman *Je vivrai l'amour des autres*.
2. ***Mémorial de l'Holocauste à Berlin*** : l'édification du *Denkmal für die ermordeten Juden Europas* (*Mémorial aux Juifs assassinés d'Europe*) commença le 1er avril 2003 et il fut officiellement ouvert au public le 12 mai 2005. Le mémorial a été créé par l'architecte américain Peter Eisenman.

On n'y échappera pas ! L'année prochaine, Berlin posera la première pierre du mémorial de l'Holocauste [1] conçu par Eisenman. C'est une sorte de Stonehenge [2] contemporain, qui se réduirait à de la pierre : une forêt de mégalithes. Tout près de là, il y aura un centre de documentation et une bibliothèque qui pourra accueillir un million de livres sur l'Holocauste. Vu que, dans le monde entier, on ne compte pas plus de cinquante mille titres sur le sujet, remplir tous les rayons relèvera de l'exploit. La mégalomanie [3] poussée à son comble !

En érigeant ce monument, l'Allemagne entend expier, à l'échelon national, le meurtre de six millions de Juifs. Comme cet acte fut monstrueux et ses conséquences désastreuses, le monument se doit d'être à son image. C'est réussi ! Il sera tout simplement abject. Mais, aussi abject qu'il soit, jamais il ne parviendra à traduire la portée de l'Holocauste.

Il attirera pourtant bon nombre d'Allemands en mal de mortification et de purification. L'intention n'est pas aussi noble qu'elle le paraît. Car il s'agit d'une mortification faite de la douleur d'autrui, une douleur que l'on emprunte à l'entrée et que, sans les intérêts, on restitue à la sortie.

La mortification était le *leitmotiv* de la plupart des projets en compétition. L'un proposait de pulvériser la *Brandenburger Tor* [4], symbole du militarisme prussien et joyau de la fierté nationale allemande, pour en faire un tas de gravats, un autre de couvrir de gros pavés une partie de l'*Autobahn* [5] de Hitler, ce qui aurait littéralement obligé les automobilistes allemands à marquer un temps d'arrêt pour les Juifs assassinés.

Jugés trop peu spectaculaires et manquant de grandeur, de nombreux projets ont été refusés.

---

1. ***Holocauste*** : voir lexique, p. 120.
2. ***Stonehenge*** : monument préhistorique du sud de l'Angleterre composé de gigantesques pierres appelées « mégalithes ».
3. ***Mégalomanie*** : délire de grandeur, orgueil démesuré.
4. ***Brandenburger Tor*** : la porte de Brandebourg, symbole architectural de Berlin, a été érigée en 1791 à la demande de Frédéric-Guillaume II, roi de Prusse.
5. ***Autobahn*** : autoroute (en allemand).

Le mémorial allemand de l'Holocauste se doit d'égaler ses pendants américains, si « super » et « méga » qu'ils en feraient presque perdre de vue ce qu'ils sont censés représenter. Aux États-Unis, où, de New York à Boston et de Washington à Houston, les mémoriaux de l'Holocauste et les musées pullulent, le visiteur se voit invité à « une journée camp de concentration ». Pour parfaire l'illusion, on a recours aux moyens les plus sinistres. Le plus authentique sera le mieux ! Et si le gazage n'est pas au programme, c'est seulement parce qu'il risquerait de tuer le client.

Le directeur du musée de Washington possède des kilos de cheveux de Juifs qui ont été gazés.

Auschwitz [1].

Il serait prêt à tout pour les exposer dans ses vitrines, comme c'est le cas au musée d'Auschwitz. Mais les descendants des victimes s'y opposent. Ils considèrent que ce serait là un manque de respect envers les morts. Les morts ? Ah oui, les morts. Avec tout ce tintouin, on les oublierait presque. Plus leur souvenir s'efface, plus nos rituels sont pompeux. Et plus nos monuments gagnent en ampleur, plus le souvenir des disparus s'estompe dans notre esprit. Avant, ils nous parlaient, mais nos cris et notre suffisance les ont fait taire et, ces dernières années, les morts d'Auschwitz sont plus morts que jamais.

Berlin peut se passer d'Eisenman. Il possède déjà de nombreux petits monuments de l'Holocauste qui, par leur modestie, touchent le visiteur au fond du cœur. Dans la Lindenstrasse [2], par exemple, l'intérieur d'une synagogue dévastée a été reconstitué à ciel ouvert. Sur l'herbe, quelques bancs de pierre disposés sur plusieurs rangées interrompues ici et là par un arbre. Les Juifs qui disaient autrefois leurs prières dans ces lieux ont été déportés et exterminés depuis longtemps. Les murmures que l'on entend ne sont pas les leurs. Ce sont ceux des arbres, qui, bercés par le vent, lisent la Torah.

Carl Friedman, *Dostojewski's paraplu* (*Le Parapluie de Dostoïevski*),
trad. Mireille Cohendy et Arlette Ounanian, extrait de *Septentrion. Arts, lettres et culture de Flandre et des Pays-Bas*,
revue éditée par « Ons Erdfeel vzw », 2001.

---

1. ***Auschwitz*** : voir note 2, p. 9.
2. ***Lindenstrasse*** : rue du quartier populaire de Kreuzberg, à Berlin.

1. Que reproche Carl Friedman au mémorial de l'Holocauste érigé à Berlin ?

2. Montrez que, selon l'auteur, la notion de spectacle et de mise en scène est souvent associée à la mémoire de la Shoah.

3. Selon elle, où se trouve réellement la mémoire des disparus ?

Vladimir Jankélévitch, *L'Imprescriptible*[1]. *Pardonner ? Dans l'honneur et la dignité* (1986)

L'Imprescriptible est un recueil posthume[2] de deux articles écrits en 1948 et 1971 par Vladimir Jankélévitch (1903-1985), philosophe français dont les parents ont fui leur Russie natale pour échapper aux campagnes antijuives. Le sous-titre de cet ouvrage, *Pardonner ? Dans l'honneur et la dignité*, soulève l'épineuse question du pardon. Ainsi, pour Jankélévitch, celui-ci « est mort dans les camps de la mort ». Dès lors, il nous amène à envisager l'oubli et la déliquescence de la mémoire comme une insulte faite aux survivants et confère à la transmission du souvenir une obligation morale impérieuse.

Il reste une seule ressource : se souvenir, se recueillir. Là où on ne peut rien « faire », on peut du moins *ressentir*, inépuisablement. C'est sans doute ce que les brillants avocats de la prescription appelleront notre ressentiment, notre impuissance à liquider le passé. Au fait, ce passé fut-il jamais pour eux un présent ? Le sentiment que nous éprouvons ne s'appelle pas rancune, mais horreur : horreur

1. ***Imprescriptible*** : en droit, les crimes contre l'humanité ne sont pas atteints par la prescription, c'est-à-dire par l'impossibilité de poursuivre en justice l'auteur d'un crime après un certain nombre d'années.
2. ***Posthume*** : voir note 2, p. 42.

insurmontable de ce qui est arrivé, horreur des fanatiques qui ont perpétré cette chose, des amorphes qui l'ont acceptée, et des indifférents qui l'ont déjà oubliée. Le voilà notre « ressentiment ». Car le « ressentiment » peut être aussi le sentiment renouvelé et intensément vécu de la chose inexpiable [1] ; il proteste contre une amnistie [2] morale qui n'est qu'une honteuse amnésie ; il entretient la flamme sacrée de l'inquiétude et de la fidélité aux choses invisibles. L'oubli serait ici une grave insulte à ceux qui sont morts dans les camps, et dont la cendre est mêlée pour toujours à la terre ; ce serait un manque de sérieux et de dignité, une honteuse frivolité. Oui, le souvenir de ce qui est arrivé est en nous indélébile [3], indélébile comme le tatouage que les rescapés des camps portent encore sur le bras. Chaque printemps les arbres fleurissent à Auschwitz, comme partout ; car l'herbe n'est pas dégoûtée de pousser dans ces campagnes maudites ; le printemps ne distingue pas entre nos jardins et ces lieux d'inexprimable misère. Aujourd'hui, quand les sophistes [4] nous recommandent l'oubli, nous marquerons fortement notre muette et impuissante horreur devant les chiens de la haine ; nous penserons fortement à l'agonie des déportés sans sépulture et des petits enfants qui ne sont pas revenus. Car cette agonie durera jusqu'à la fin du monde.

Vladimir Jankélévitch, *L'Imprescriptible. Pardonner ? Dans l'honneur et la dignité*, © Éditions du Seuil, 1986, « Points Essais », 1996.

1. Qui est désigné par le pronom personnel « nous » dans le texte ?

2. Contre quelle idée l'auteur s'élève-t-il ?

3. Au regard de ce texte, vous proposerez une explication du titre de l'ouvrage.

---

1. ***Chose inexpiable*** : chose qui ne peut être expiée, réparée.
2. ***Amnistie*** : pardon, oubli.
3. ***Indélébile*** : qui ne peut être effacé.
4. ***Sophistes*** : personnes qui produisent des raisonnements en apparence justes et logiques mais qui reposent sur des arguments faux ou absurdes.

Georges Perec, *W ou le Souvenir d'enfance* (1975)

Georges Perec naît à Paris de parents juifs polonais, tous deux décédés durant la Seconde Guerre mondiale : son père au front en 1940, sa mère déportée à Auschwitz en 1942. Georges Perec passe son enfance entre Paris, Villard-de-Lans et Lans-en-Vercors – qui deviendront les deux V entrelacés du titre *W ou le Souvenir d'enfance*. Dans ce roman, l'auteur livre un récit croisé alternant fiction (un chapitre sur deux, en italique) et autobiographie pour amener le lecteur à percevoir les difficultés d'un récit de soi marqué par un passé familial douloureux. Texte paradoxal qui affirme l'absence de souvenirs d'enfance, l'extrait suivant explique que si « l'Histoire avec sa grande hache » peut entacher la mémoire individuelle, l'écriture et l'humour sont des remparts précieux contre la menace de l'oubli.

Je n'ai pas de souvenirs d'enfance. Jusqu'à ma douzième année à peu près, mon histoire tient en quelques lignes : j'ai perdu mon père à quatre ans, ma mère à six ; j'ai passé la guerre dans diverses pensions de Villard-de-Lans. En 1945, la sœur de mon père et son mari m'adoptèrent.

Cette absence d'histoire m'a longtemps rassuré : sa sécheresse objective, son évidence apparente, son innocence me protégeaient, mais de quoi me protégeaient-elles, sinon précisément de mon histoire, de mon histoire vécue, de mon histoire réelle, de mon histoire à moi qui, on peut le supposer, n'était ni sèche, ni objective, ni apparemment évidente, ni évidemment innocente ?

« Je n'ai pas de souvenirs d'enfance » : je posais cette affirmation avec assurance, avec presque une sorte de défi. L'on n'avait pas à m'interroger sur cette question. Elle n'était pas à mon programme. J'en étais dispensé : une autre histoire, la Grande, l'Histoire avec sa grande hache, avait déjà répondu à ma place : la guerre, les camps.

À treize ans, j'inventai, racontai et dessinai une histoire. Plus tard, je l'oubliai. Il y a sept ans, un soir, à Venise, je me souvins tout à coup que cette histoire s'appelait « W » et qu'elle était, d'une certaine façon, sinon l'histoire, du moins une histoire de mon enfance.

En dehors du titre brusquement restitué, je n'avais pratiquement aucun souvenir de W. Tout ce que j'en savais tient en moins de deux lignes : la vie d'une société exclusivement préoccupée de sport, sur un îlot de la Terre de Feu.

Une fois de plus, les pièges de l'écriture se mirent en place. Une fois de plus, je fus comme un enfant qui joue à cache-cache et qui ne sait pas ce qu'il craint ou désire le plus : rester caché, être découvert.

Je retrouvai plus tard quelques-uns des dessins que j'avais faits vers treize ans. Grâce à eux, je réinventai W et l'écrivis, le publiant au fur et à mesure, en feuilleton, dans *La Quinzaine littéraire*, entre septembre 1969 et août 1970.

Aujourd'hui, quatre ans plus tard, j'entreprends de mettre un terme – je veux tout autant dire par là « tracer les limites » que « donner un nom » – à ce lent déchiffrement. W ne ressemble pas plus à mon fantasme olympique que ce fantasme olympique ne ressemblait à mon enfance. Mais dans le réseau qu'ils tissent comme dans la lecture que j'en fais, je sais que se trouve inscrit et décrit le chemin que j'ai parcouru, le cheminement de mon histoire et l'histoire de mon cheminement.

Georges Perec, *W ou le Souvenir d'enfance*,

1. Comment caractériseriez-vous le style d'écriture de Georges Perec ? À la lecture de ce texte, quels sentiments vous évoque-t-il ?

2. Le narrateur fait successivement allusion à trois « histoires ». Lesquelles ? Quels liens établit-il entre celles-ci ?

3. Expliquez la phrase « une fois de plus, les pièges de l'écriture se mirent en place ».

Primo Levi, *Si c'est un homme* (1947)

Dès son retour du camp d'Auschwitz dans lequel il a passé une année, et alors qu'il n'a que vingt-six ans, Primo Levi s'attelle à la rédaction d'un témoignage détaillé sur le fonctionnement des camps de concentration et le quotidien des détenus. Comme le personnage de Jochel dans *Mon père couleur de nuit*, Primo Levi avait été sélectionné pour aller travailler à l'usine et a échappé de peu à l'évacuation vers Buchenwald, lors de laquelle une grande partie des prisonniers d'Auschwitz périrent. Paru dans l'indifférence générale chez un petit éditeur italien en 1947, *Si c'est un homme* est écrit dans un style limpide, presque scientifique, pour mieux rendre compte de la violence et de l'absurdité du crime nazi. Incantation brutale qui ouvre le récit, le poème qui suit interpelle le lecteur, lequel ne sort pas indemne de sa lecture.

Shemà [1]

Vous qui vivez en toute quiétude
Bien au chaud dans vos maisons,
Vous qui trouvez le soir en rentrant
La table mise et des visages amis,
Considérez si c'est un homme
Que celui qui peine dans la boue,
Qui ne connaît pas de repos,
Qui se bat pour un quignon de pain,
Qui meurt pour un oui pour un non.
Considérez si c'est une femme
Que celle qui a perdu son nom et ses cheveux
Et jusqu'à la force de se souvenir,
Les yeux vides et le sein froid
Comme une grenouille en hiver.
N'oubliez pas que cela fut,
Non, ne l'oubliez pas :

1. *Shemà* : « écoute » en hébreu.

Gravez ces mots dans votre cœur.
Pensez-y chez vous, dans la rue,
En vous couchant, en vous levant ;
Répétez-les à vos enfants.
Ou que votre maison s'écroule,
Que la maladie vous accable,
Que vos enfants se détournent de vous.

Primo Levi, *Si c'est un homme*, trad. Martine Schruoffeneger,
© Éditions Julliard, 1987, rééd. 1994,
Éditions Robert Laffont, 1996.

1. Par quels procédés ce poème développe-t-il une tonalité oratoire et incantatoire[1] ?
2. Étudiez l'énonciation dans ce texte. À qui s'adresse-t-il ?
3. Quel semble être le message que l'auteur adresse au lecteur ?
4. Comment comprendre les trois derniers vers ?

Jean Cayrol, *Poèmes de la Nuit et du Brouillard* (1945)

Mobilisé dans la marine en 1939, Jean Cayrol rejoint les services secrets dès 1941. Arrêté le 10 juin 1942 et interné pendant dix mois à la prison de Fresnes, il est déporté à Mauthausen sous le régime « *Nacht und Nebel*[2] ». Libéré en juin 1945, il écrit : « Je voulais témoigner d'un événement irrécupérable et, en même temps, sous l'effet d'une poésie qui redécouvrait sa chaleur, une authenticité plus grande, je tentais cette aventure d'un langage qui devait s'approprier à nouveau une terre maternelle qui m'avait fait défaut[3]. »

1. ***Incantatoire*** : à la manière de formules magiques cherchant à produire un sortilège.
2. ***Nacht und Nebel*** : voir Présentation, p. 6.
3. Jean Cayrol, *Il était une fois Jean Cayrol*, Seuil, 1982, p. 101.

J'accuse

Au nom du mort qui fut sans nom
Au nom des portes verrouillées
Au nom de l'arbre qui répond
Au nom des plaies au nom des prés mouillés

Au nom du ciel en feu de nos remords
Au nom d'un père qui n'aura plus son fils
Au nom du livre où le sage s'endort
Au nom de tous les fruits qui mûrissent

Au nom de l'ennemi au nom du vrai combat
Où l'oiseau avait fait son nid
Au nom du grand retour de flamme et de soldats
Au nom des feuilles dans le puits

Au nom des justices sommaires
Au nom de la paix si faible et dans nos bras
Au nom des nuits vivantes d'une mère
Au nom d'un peuple dont s'effacent les pas

Au nom de tous les noms qui n'ont plus de renom
Au nom des voix remuantes au nom des voix
Qui disent oui qui disent non
Au nom des hommes aux yeux de proie

Amour je te livre aux premières fureurs de la Joie.

Jean Cayrol, *Poèmes de la Nuit et du Brouillard.* Suivi de *Larmes publiques*, © Éditions du Seuil, 1995.

1. Comment se nomme la figure de style qui structure tout le poème ? Quelle est sa fonction ?

2. Quelle place occupe la nature dans ce texte ? Pourquoi ?

3. À quel événement historique le titre fait-il référence ?

Place au débat !

Après avoir effectué des recherches sur les monuments commémoratifs, et en vous appuyant sur les extraits du groupement de textes « Contre l'oubli », vous préparerez un débat dans lequel vous interrogerez leur sens et leur utilité.

Le difficile retour des camps : une écriture de la survivance

(groupement de textes n° 2)

Pour les anciens prisonniers des camps de la mort, le retour représente à la fois la fin d'un cauchemar et le début d'une nouvelle épreuve, celle de la reconstruction. Parce qu'ils furent soumis aux pires tortures, nombre de rescapés n'ont pu retrouver la vie qu'ils menaient avant leur déportation. Leur corps d'abord, amaigri et mutilé, est l'objet d'un soin particulier, comme en témoigne Marguerite Duras dans *La Douleur.* Mais la convalescence est également psychologique car, face à l'horreur du souvenir, celle-ci se révèle bien souvent impossible.

Carl Friedman, *Qui compte le plus de Juifs* (2004)

En 2004, une deuxième sélection d'articles écrits par Carl Friedman pour le journal *Trouw* a été publiée sous le titre *Vie heeft de meeste joden* (*Qui compte le plus de Juifs*). Leur traduction a paru dans la revue *Septentrion*. Dans cet article, qui adopte le ton de l'anecdote, le difficile retour à la vie s'accompagne de la douleur d'avoir survécu à la mort des autres, d'autant plus lorsqu'il s'agit de son propre enfant.

Que ne retrouve-t-on pas quand on s'est égaré ! La semaine dernière, j'errais perdue dans des rues d'Amsterdam où je n'avais jamais mis les pieds auparavant, quand soudain, quelqu'un m'aborda.

« Mirjam ? » demandai-je, hésitante.

Elle acquiesça.

Pas étonnant que je ne l'aie pas reconnue immédiatement. Je ne l'avais pas revue depuis au moins dix ans. C'était alors une adolescente maigre avec des tresses dans le dos. À présent, elle était devenue femme. Seuls ses yeux sombres et sa mimique étaient restés inchangés ; pour le reste, tout en elle était étrangement adulte.

Mirjam appartenait à l'époque à la même communauté juive que moi, un petit groupe dans le sud du pays qui se réunissait les jours de sabbat [1] dans une grange transformée en lieu de prière. Elle assistait aux services religieux en compagnie de ses parents et de son grand-père. Cet homme grisonnant, un des survivants d'une génération que les nazis avaient en grande partie décimée, était considéré comme un bien précieux : un bien dont la grande majorité était privée et dont chacun entendait profiter. Nous l'avions adopté comme *pater familias* [2] et nous le portions tous dans notre cœur. À chaque réunion, nous nous bousculions pour le saluer. « Gut sjabbes [3], Grand-Père Levie ! Gut sjabbes, Grand-Père Levie ! » Je sens, aujourd'hui encore, le contact de sa main. « Bonjour, mon enfant, gut sjabbes. » Nous étions tous les enfants de Grand-Père Levie.

Aussi la première question que je posai à Mirjam fut-elle : « Comment va Grand-Père Levie ? » Elle me saisit le bras et m'entraîna vers une terrasse désertée, de l'autre côté de la rue. Une

1. ***Sabbat*** : dans la religion juive, le sabbat désigne le jour de repos hebdomadaire consacré à Dieu (le samedi).
2. ***Pater familias*** : expression latine qui signifie « père de famille ».
3. ***Gut sjabbes*** : bon sabbat (en yiddish).

fois installées devant une tasse de café, nous entamâmes une longue conversation sur le travail qu'elle faisait à Amsterdam, l'appartement dans lequel elle venait de s'installer, ses amitiés et ses projets d'avenir. Nous échangeâmes nos adresses et nos numéros de téléphone.

« Et maintenant, dis-moi tout sur Grand-Père Levie », demandai-je enfin.

Elle poussa un profond soupir.

« Grand-Père est mort, dit-elle, tu ne le savais pas ? Il est tombé de sa bicyclette. En fait, il était bien trop vieux pour faire du vélo. Si tu avais vu la gymnastique qu'il faisait pour l'enfourcher ! Il arrivait à peine à tenir son guidon droit ! Un après-midi, il a fait une mauvaise chute. Il est tombé la tête la première sur le bord du trottoir. »

Ainsi va la vie, pensai-je, amère : on échappe à Adolf Hitler et on succombe sous un vélo branlant.

« Il me manque, dit Mirjam, il était toujours si gentil. Et pourtant, la vie ne l'avait pas épargné. Il n'a jamais cessé de pleurer sa gamine.

– Une petite fille ? Je n'étais pas au courant.

– Oui, dit-elle, mon père est né après la guerre, mais pendant la guerre, mes grands-parents ont eu une fille. Elle avait dans les trois ans. Elle est entrée dans la clandestinité en même temps qu'eux, mais à une autre adresse, un village un peu plus loin. Un médecin servait d'intermédiaire. Il transmettait les messages et les vêtements que ma grand-mère tricotait pour cette enfant. Elle passait ses journées à tricoter des maillots de laine et des chandails. Un jour, en 1943, le médecin a pris mon grand-père à part. La fillette avait été emmenée et déportée en Pologne dès son arrivée à Westerbork [1]. Mon grand-père n'a rien osé dire à sa femme. Il craignait qu'elle devienne folle, qu'elle aille par exemple geindre dans les rues et qu'elle se fasse prendre. Jusqu'à la Libération, il a fait comme si sa petite vivait encore. Et ma grand-mère qui continuait à tricoter pendant tout ce temps ! »

---

1. ***Westerbork*** : camp de concentration nazi situé au nord-est des Pays-Bas.

Mes yeux se remplirent de larmes. J'imaginais Grand-Père Levie écoutant, deux années durant, le vain cliquetis des aiguilles qui tricotaient des lainages pour une enfant disparue.

Quand mon verre fut vide, Mirjam prit congé. Elle m'enlaça chaleureusement, comme si, par ce geste, elle avait espéré effacer son triste récit. Mais il m'accompagna durant tout le trajet du retour. Le nouveau numéro de *Vrij Nederland*[1] m'attendait sur le paillasson. J'y trouvai un article de l'historien Chris van der Heijden[2], qui affirmait que les jeunes d'aujourd'hui ne se sentaient plus concernés par « un affligeant amas de lunettes ou une montagne de dents en or ». Il nous fallait donc, déclarait-il, « reconnaître ce qui était indéniable : que la guerre était terminée, pour de bon ! ».

Carl Friedman, *Wie heeft de meeste joden* (*Qui compte le plus de Juifs*), trad. Mireille Cohendy et Arlette Ounanian, extrait de *Septentrion. Arts, lettres et culture de Flandre et des Pays-Bas*, revue éditée par « Ons Erdfeel vzw », 2004.

1. Quel portait de Grand-Père Levie est ici dressé ? Comment est-il construit ?

2. En quoi le recours à l'anecdote permet-il de toucher le lecteur ?

3. Comment la mort de Grand-Père Levie est-elle évoquée par l'auteur ?

 Marguerite Duras, *La Douleur* (1985)

Pendant la guerre, Marguerite Duras a tenu un journal pour conserver la mémoire de ce qu'elle vivait, des personnes rencontrées, et des traumatismes dont elle a été le témoin. Ces textes ont été réunis dans un ouvrage intitulé *La Douleur*, récit poignant sur le retour de Robert Antelme (Robert L.), son mari.

---

1. ***Vrij Nederland*** : hebdomadaire néerlandais de presse écrite.
2. ***Chris van der Heijden*** (né en 1954) : historien et journaliste néerlandais.

Dans mon souvenir, à un moment donné, les bruits s'éteignent et je le vois. Immense. Devant moi. Je ne le reconnais pas. Il me regarde. Il sourit. Il se laisse regarder. Une fatigue surnaturelle se montre dans son sourire, celle d'être arrivé à vivre jusqu'à ce moment-ci. C'est à ce sourire que tout à coup je le reconnais, mais de très loin, comme si je le voyais au fond d'un tunnel. C'est un sourire de confusion. Il s'excuse d'en être là, réduit à ce déchet. Et puis le sourire s'évanouit. Et il redevient un inconnu. Mais la connaissance est là, que cet inconnu c'est lui, Robert L., dans sa totalité.

Il avait voulu revoir la maison. On l'avait soutenu et il avait fait le tour des chambres. Ses joues se plissaient mais elles ne se décollaient pas des mâchoires, c'était dans ses yeux qu'on avait vu son sourire. Quand il était passé dans la cuisine, il avait vu le clafoutis qu'on lui avait fait. Il a cessé de sourire : « Qu'est-ce que c'est ? » On le lui avait dit. À quoi il était ? Aux cerises, c'était la pleine saison. « Je peux en manger ? – Nous ne le savons pas, c'est le docteur qui le dira. » Il était revenu au salon, il s'était allongé sur le divan. « Alors je ne peux pas en manger ? – Pas encore. – Pourquoi ? – Parce qu'il y a déjà eu des accidents dans Paris à trop vite faire manger les déportés au retour des camps. »

Il avait cessé de poser des questions sur ce qui s'était passé pendant son absence. Il avait cessé de nous voir. Son visage s'était recouvert d'une douleur intense et muette parce que la nourriture lui était encore refusée, que ça continuait comme au camp de concentration. Et comme au camp, il avait accepté en silence. Il n'avait pas vu qu'on pleurait. Il n'avait pas vu non plus qu'on pouvait à peine le regarder, à peine lui répondre. [...]

Nous avons sorti le clafoutis de la maison pendant qu'il dormait. Le lendemain la fièvre était là, il n'a plus parlé d'aucune nourriture.

S'il avait mangé dès le retour du camp, son estomac se serait déchiré sous le poids de la nourriture, ou bien le poids de celle-ci aurait appuyé sur le cœur qui lui, au contraire, dans la caverne de sa maigreur était devenu énorme : il battait si vite qu'on n'aurait pas pu compter ses pulsations, qu'on n'aurait pas pu dire qu'il battait à proprement parler mais qu'il tremblait comme sous l'effet de l'épouvante. Non, il ne pouvait pas manger sans mourir. Or il ne pouvait plus rester encore sans manger sans en mourir. C'était là la difficulté.

La lutte a commencé très vite avec la mort. Il fallait y aller doux avec elle, avec délicatesse, tact, doigté. Elle le cernait de tous les côtés. Mais tout de même il y avait encore un moyen de l'atteindre lui, ce n'était pas grand, cette ouverture par où communiquer avec lui mais la vie était quand même en lui, à peine une écharde, mais une écharde quand même. La mort montait à l'assaut. 39,5 le premier jour. Puis 40. Puis 41. La mort s'essoufflait. 41 : le cœur vibrait comme une corde de violon. 41, toujours, mais il vibre. Le cœur, pensions-nous, le cœur va s'arrêter. Toujours 41. La mort, à coups de boutoir, frappe, mais le cœur est sourd. Ce n'est pas possible, le cœur va s'arrêter. Non.

De la bouillie, avait dit le docteur, par cuillers à café. Six ou sept fois par jour on lui donnait de la bouillie. Une cuiller à café de bouillie l'étouffait, il s'accrochait à nos mains, il cherchait l'air et retombait sur son lit. Mais il avalait. De même six à sept fois par jour il demandait à faire. On le soulevait en le prenant par-dessous les genoux et sous les bras. Il devait peser entre trente-sept et trente-huit kilos : l'os, la peau, le foie, les intestins, la cervelle, le poumon, tout compris : trente-huit kilos répartis sur un corps d'un mètre soixante-dix-huit.

Marguerite Duras, *La Douleur*, © P.O.L éditeur, 1985, p. 65-68.

1. Pourquoi Robert L. est-il devenu un inconnu pour sa femme à son retour du camp ?

2. Comment l'écriture de Marguerite Duras traduit-elle l'angoisse de la mort ?

3. De quelle manière la douleur est-elle exprimée dans ce texte ?

Primo Levi, *Si c'est un homme* (1947)

À partir de ses souvenirs et de son expérience de prisonnier à Auschwitz, Primo Levi évoque la présence et le rôle de la musique dans le camp et révèle une nouvelle facette du sadisme du régime.

Pour la première fois que je suis au camp, la cloche du réveil me surprend dans un sommeil profond, et c'est un peu comme si je sortais du néant. Au moment de la distribution du pain, on entend au loin, dans le petit matin obscur, la fanfare qui commence à jouer : ce sont nos camarades de baraque qui partent travailler au pas militaire.

Du K.B. [1] on n'entend pas très bien la musique : sur le fond sonore de la grosse caisse et des cymbales qui produisent un martèlement continu et monotone, les phrases musicales se détachent par intervalles, au gré du vent. De nos lits, nous nous entre-regardons, pénétrés du caractère infernal de cette musique.

Une douzaine de motifs seulement, qui se répètent tous les jours, matin et soir : des marches et des chansons populaires chères aux cœurs allemands. Elles sont gravées dans notre esprit et seront bien la dernière chose du *Lager* [2] que nous oublierons ; car elles sont la voix du *Lager*, l'expression sensible de sa folie géométrique, de la détermination avec laquelle des hommes entreprirent de nous anéantir, de nous détruire en tant qu'homme avant de nous faire mourir lentement.

Quand cette musique éclate, nous savons que nos camarades, dehors dans le brouillard, se mettent en marche comme des automates ; leurs âmes sont mortes, et c'est la musique qui les pousse en avant comme le vent les feuilles sèches, et leur tient lieu de volonté. Car, ils n'ont plus de volonté : chaque pulsation est un pas, une contraction automatique de leurs muscles inertes. Voilà ce qu'ont fait les Allemands. Ils sont dix mille hommes, et ils ne forment plus qu'une même machine grise ; ils sont exactement déterminés ; ils ne pensent pas, ils ne veulent pas, ils marchent.

---

1. ***K.B.*** : initiales de « Krankenbrau », l'infirmerie dans les camps.
2. ***Lager*** : « camp », en allemand.

Jamais les SS n'ont manqué l'une de ces parades d'entrée et de sortie. Qui pourrait leur refuser le droit d'assister à la chorégraphie qu'ils ont eux-mêmes élaborée, à la danse de ces hommes morts qui laissent, équipe par équipe, le brouillard pour le brouillard ? Qu'elle preuve plus tangible de leur victoire ?

Ceux du KB connaissent bien eux aussi ces départs et ces retours, l'hypnose du rythme continu qui annihile la pensée et endort la douleur ; ils en ont fait l'expérience, ils la feront encore. Mais il fallait échapper au maléfice, il fallait entendre la musique de l'extérieur, comme nous l'entendions au KB, comme nous l'entendons aujourd'hui dans le souvenir, maintenant que nous sommes à nouveau libre et revenus à la vie ; il fallait l'entendre sans y obéir, sans la subir, pour comprendre ce qu'elle représentait, pour quelles raisons préméditées les Allemands avaient instauré ce rite monstrueux, et pourquoi aujourd'hui encore, quand une de ces innocentes chansonnettes nous revient en mémoire, nous sentons notre sang se glacer dans nos veines et nous prenons conscience qu'être revenus d'Auschwitz tient du miracle.

Primo Levi, *Si c'est un homme*, trad. Martine Schruoffeneger

1. Expliquez l'expression « sa folie géométrique », utilisée pour désigner le « *Lager* ».

2. Quel rôle jouait la musique dans le système concentrationnaire nazi ?

3. Comment la torture des SS se poursuit-elle dans le quotidien du rescapé ?

Parcours sur le Web

La traque d'Adolf Eichmann

Entrez « Adolf Eichmann » dans le moteur de recherche www.google.fr, et parcourez les pages suivantes :

– la page Wikipédia sur Adolf Eichmann

– la page « 11 avril 1961 : procès d'Adolf Eichmann » du site **herodote.net**

– la page « Juger Eichmann » du site **memorialdelashoah.org**

1. Évaluez les trois sites à l'aide du tableau (p. 152-153).

2. Sont-ils tous fiables ? Pourquoi ? Classez-les en fonction du degré de fiabilité.

3. À partir des informations trouvées, racontez en un paragraphe la recherche et la capture d'Adolf Eichmann.

Le destin hors du commun des Klarsfeld

Couple franco-allemand célèbre, Serge et Beate Klarsfeld se sont employés, au cours de leur vie, à retrouver et à dénoncer d'anciens responsables nazis afin que justice soit rendue. Leurs *Mémoires* ont paru en 2015 chez Flammarion et Fayard. Retrouvez en ligne le résumé de l'éditeur et répondez aux questions suivantes.

1. Identifiez les criminels mentionnés et expliquez leur rôle. Lesquels faisaient partie du régime de Vichy ?

2. Quelle est la méthode de Beate Klarsfeld pour se faire entendre ? Qu'en pensez-vous ?

3. Rendez-vous sur le site de l'Ina (**www.ina.fr**) et visionnez la vidéo dans laquelle Beate Klarsfeld explique comment elle a identifié Klaus Barbie. Êtes-vous d'accord avec l'affirmation selon laquelle il revient aux nouvelles générations de condamner les crimes du passé ?

■ Le procès d'Adolf Eichmann en 1961.

Outils d'analyse pour évaluer une information sur Internet

Grille d'analyse proposée par le ministère de l'Éducation nationale, de l'Enseignement supérieur et de la Recherche, sur le site www.eduscol.education.fr, qui détaille les bonnes questions à se poser pour juger de la fiabilité d'un document en ligne.

QUESTION	QUESTIONNEMENTS	CONSEILS
QUI ?	**Qui est l'auteur du document ?** L'auteur est-il identifié ? Peut-on le contacter ? Est-ce un spécialiste du domaine ? S'exprime-t-il au nom d'une institution ou à titre personnel ?	Chercher des informations supplémentaires dans la rubrique « qui sommes-nous » ou « contacts » du site permet de mieux se renseigner sur son responsable. Effectuer une rapide vérification du nom de l'auteur dans un moteur de recherche (ixquick, unbubble, qwant, etc.) est utile pour s'assurer de son sérieux.
QUOI ?	**Quelle est la nature du site ?** S'agit-il s'un site institutionnel ? d'un site associatif ? d'un site commercial ? Sa compétence sur le sujet et sa fiabilité sont-elles reconnues ? Comporte-t-il des liens vers des sites fiables ? Les sites fiables font-ils référence à lui ? **Quelle est la pertinence des informations ?** Est-ce bien le type d'informations dont j'ai besoin ? Le niveau des informations est-il adapté ? Est-il simple ou au contraire suffisamment approfondi ? **Quel est l'intérêt du document ?** Le document est-il vraiment intéressant ? Qu'apporte-t-il de nouveau ?	Face à tout document sur Internet, il est crucial d'exercer son esprit critique et de toujours questionner la nature des sites que l'on consulte.

QUESTION	QUESTIONNEMENTS	CONSEILS
OÙ ?	**D'où provient l'information ?** S'agit-il d'un site français ? S'agit-il d'un site francophone ? européen ? autre ? **Quelles sont les limites géographiques de l'information ?** L'information concerne-t-elle un pays particulier ? Cela me convient-il ? L'information vaut-elle ailleurs ?	Le décryptage de l'URL du site contient des indications très importantes. Une adresse ou un nom de domaine fantaisistes doivent alerter la vigilance de l'utilisateur qui recherche une information fiable.
QUAND ?	**De quelle période s'agit-il ?** La période traitée correspond-elle à mes besoins ? **Quelle est la date du document ?** La date du document est-elle indiquée ? Le document nécessite-t-il une actualisation ? Si oui, quelle est la date de mise à jour ?	Quand la recherche que l'on mène concerne un fait d'actualité, la date de mise à jour du site est importante. Ex. : un article de 1992 sur la démographie en France sera inutile pour connaître son état actuel.
COMMENT ?	**Comment se présente le document ?** L'information est-elle rédigée clairement ? Le document est-il bien structuré ? Les sources sont-elles bien indiquées ? **Comment accède-t-on à l'information ?** L'information est-elle gratuite ou payante ? La navigation du site est-elle aisée ? Les pages sont-elles rapides à charger ?	La présence de fautes d'orthographe ou de syntaxe ainsi qu'une présentation confuse sont souvent l'indice d'un site peu fiable. L'absence de sources clairement identifiées doit également éveiller la méfiance du visiteur du site.

Analyse d'une bande-annonce : *La Vague* (*Die Welle*) de Dennis Gansel (2008)

Si l'émergence en Europe d'une nouvelle dictature semblable à celle du IIIe Reich peut sembler *a priori* peu probable, le réalisateur Dennis Gansel s'attache à démontrer le contraire. Lisez le synopsis et visionnez la bande-annonce du film *La Vague* (*Die Welle*) en vous rendant sur le site **allocine.fr** puis répondez aux questions suivantes.

1. Quelle est l'expérience que le professeur décide de mener avec sa classe ?

2. Tous les élèves semblent-ils se conformer aux règles ?

3. Quels éléments de la bande-annonce évoquent le nazisme ?

Histoire des arts

Vous vous appuierez sur le cahier photos pour répondre aux questions suivantes

Réflexions sur l'identité : les autoportraits de Felix Nussbaum

Autoportrait dans le camp et *Autoportrait au passeport juif* sont des tableaux peints par Felix Nussbaum (1904-1944) respectivement en 1940 et 1943. Peintre juif allemand, Felix Nussbaum grandit au sein d'une famille bourgeoise et poursuit des études d'arts décoratifs et de beaux-arts. Avec la montée du nazisme en Allemagne, il gagne l'Italie, puis la France, la Suisse et la Belgique. En 1940, il est arrêté et emprisonné au camp de Saint-Cyprien, dans le sud de la France. Le tableau *Autoportrait dans le camp* (p. 1 du cahier photos) évoque cette période de sa vie.

Après s'être évadé, Felix Nussbaum retourne à Bruxelles, où il se cache pendant plusieurs années avec son épouse Felka Platek, artiste juive polonaise. L'année 1942 marque l'introduction du port de l'étoile jaune pour les Juifs, et l'*Autoportrait au passeport juif* (p. 2 du cahier photos) prend pour sujet cette stigmatisation. Le peintre donne à voir dans ce tableau sa plus grande peur : celle d'être un jour arrêté lors d'un contrôle d'identité. Felix Nussbaum et son épouse sont finalement dénoncés et arrêtés en août 1944, puis déportés vers le camp de mise à mort d'Auschwitz dans le dernier convoi qui quitte la Belgique. Ils meurent gazés le mois suivant.

Description

1. Observez la composition des deux œuvres. Comment sont-elles construites (premier plan, deuxième plan, arrière-plan, perspective) ?

2. Quelles couleurs Felix Nussbaum a-t-il utilisées ?

3. Observez et notez la direction du regard et l'expression de son visage dans ces deux œuvres.

Interprétation

1. En quoi la thématique de l'enfermement est-elle particulièrement présente ?

2. Proposez une explication du choix de l'arrière-plan dans l'*Autoportrait* de 1940.

3. En quoi ces autoportraits mettent-ils en scène une séparation entre deux mondes ?

4. Quelle réflexion sur l'identité ces œuvres illustrent-elles ? Vous réfléchirez à la notion de mise en abyme et à sa place dans les deux tableaux.

Représenter la Shoah en BD

La quête d'identité est un enjeu majeur qui parcourt l'œuvre d'Art Spiegelman. Dans une bande dessinée animalière, il met en scène

simultanément le témoignage de son père sur la Shoah et sa difficile relation avec ce dernier. Dans la deuxième planche reproduite p. 6 du cahier photos, Spiegelman se représente sous les traits de l'auteur au travail. Comme dans *Mon père couleur de nuit*, où les enfants tentent de partager la souffrance de Jochel, le masque de souris porté par le protagoniste rappelle le personnage du père dans *Maus* et l'identification de l'auteur à ce dernier. Spiegelman traduit ici le désespoir lié à l'absence des figures parentales (un père disparu et une mère suicidée, sans laisser de traces). L'auteur-personnage n'est alors pas seulement un futur père, un orphelin ou un auteur de bande dessinée, il est tout cela à la fois.
En vous reportant à la planche de BD du cahier photos, vous répondrez aux questions suivantes.

Description

1. Qui est figuré dans cette vignette ?

2. Quelle activité effectue le personnage ?

3. Pourquoi porte-t-il un masque ?

Interprétation

1. Quel sentiment anime le personnage ? Quels éléments graphiques en témoignent ?

2. Comment cette planche parvient-elle à exprimer la difficulté de transmettre la mémoire des camps ?

3. Quelle est votre interprétation des bulles de la dernière case ?

À la recherche d'Henri Gayot

Après avoir effectué des recherches en ligne et au CDI, rédigez un article présentant la vie et l'œuvre d'Henri Gayot (voir p. 3 du cahier photos).

Un livre, un film

Le Fils de Saul de László Nemes (Hongrie, 2015)

En 2015, *Le Fils de Saul* remporte la Palme d'or au Festival de Cannes et l'Oscar du « meilleur film étranger ». Le film hongrois nous plonge dans le quotidien de Saul Ausländer, un membre des *Sonderkommandos*[1] du camp de mise à mort d'Auschwitz-Birkenau, en octobre 1944. Chaque jour, il accompagne les déportés, ignorants du sort qui les attend, jusqu'aux chambres à gaz, puis nettoie les lieux, avant le prochain massacre. Jusqu'à 24 000 personnes par jour sont ainsi assassinées. Deux événements simultanés viennent bouleverser cette routine horrible et épuisante : d'une part, Saul croit reconnaître, parmi les victimes, le fils qu'il aurait eu hors mariage ; d'autre part, certains membres des *Sonderkommandos* fomentent une révolte. Et si ce complot lui permettait, indirectement, de donner une sépulture décente à son fils, ce qu'il souhaite par-dessus tout ? Dans *Mon père couleur de nuit*, Jochel critique le traitement que le cinéma de fiction réserve aux camps (p. 35). *Le Fils de Saul* est l'une des rares œuvres cinématographiques à s'intéresser à la condition des déportés juifs contraints de participer à l'entreprise nazie. Elle se distingue doublement par ce parti pris : se concentrant sur le sort des *Sonderkommandos* et des nouveaux arrivants immédiatement exterminés, elle évite de s'attarder sur les corps décharnés des détenus, comme souvent les films consacrés au sujet, parfois accusés d'entretenir un voyeurisme malsain. En effet, le film travaille avec le flou, le non-vu, le cadré à la va-vite. Cette méthode évoque les quatre photographies prises par des membres du *Sonderkommando* à Auschwitz-Birkenau en août 1944, grâce à un appareil photo introduit clandestinement dans le camp. Transmises à la résistance polonaise de Cracovie, elles ont été présentées en France en 2001 dans l'exposition « Mémoire des camps » à Paris (voir cahier photos, p. 8).

---

1. ***Sonderkommandos*** : voir lexique, p. 121.

Le film donne à voir la possibilité d'échapper à la folie (de ne pas devenir « fou », pour reprendre les mots du prisonnier tchèque interné avec Jochel dans *Mon père couleur de nuit*, p. 43) dans un contexte d'horreur absolue – où dignité et morale n'ont plus cours. Rappelons que les membres du *Sonderkommando* n'échappent momentanément à la mort qu'en participant à l'extermination de leurs coreligionnaires. Comme une ultime preuve d'humanité, Saul cherche à rendre un hommage à celui qu'il désigne comme son fils. « Ils ont voulu faire de nous des bêtes en nous faisant vivre dans des conditions que personne, je dis personne, ne pourra jamais imaginer. Mais ils ne réussiront pas [1] », écrivait Robert Antelme à son retour de déportation.

À travers le personnage de Saul, László Nemes nous conduit à nous interroger sur notre rapport au pouvoir : a-t-on les moyens de résister à une force qui nous contraint à agir contre notre gré ?

Analyse d'ensemble

1. Le carton [2] qui ouvre le film explique qu'un *Sonderkommando* « porte des secrets », mais ceux-ci ne nous sont pas révélés. De même, l'histoire peut parfois paraître opaque et le spectateur est souvent contraint de reconstituer lui-même la trame narrative. Comment expliquez-vous ce choix ?

2. Pourquoi la caméra reste-t-elle focalisée sur Saul et filme-t-elle peu les autres personnages ?

3. Une partie importante des plans [3] consacrés au protagoniste le montre de dos ; on retrouve ce procédé dans les jeux vidéo notamment, où il est appelé « vue objective » ou « vue à la troisième personne ». Quel est l'effet produit ?

---

1. Robert Antelme, *L'Espèce humaine*, Gallimard, 1957 (première parution en 1947).

2. ***Carton*** : texte filmé, également appelé « intertitre ».

3. ***Plans*** : portions de film comprises entre deux points de coupe.

4. Très souvent, des parties de l'image sont floues et sombres. Pour quelle(s) raison(s), selon vous ?

Analyse de séquence

Analyse de la séquence d'ouverture du film (de 00.00.30 à 00.06.40)

Le film s'ouvre sur un long plan-séquence[1], qui ne prend fin qu'à l'apparition du titre.

1. Le flou surprend d'abord. Dans nombre de films, une telle utilisation serait considérée comme une faute technique de la part du cadreur qui oublierait de « faire le point ». Pourquoi le réalisateur fait-il ici ce choix délibéré ?

2. Décrivez la bande-son. Comment interprétez-vous l'absence de musique et de sous-titres ?

3. Quel est l'intérêt de filmer la scène en un seul plan au lieu de plusieurs ?

Analyse de la séquence de clôture du film (de 01.38.20 à 01.40.20)

Quatre plans réunissent Saul et un enfant que le spectateur découvre pour la première fois.

1. Pourquoi le spectateur ne voit-il pas ce qui arrive à Saul ?

2. En comparant cette scène à l'ouverture du film, montrez que le film se termine, malgré tout, sur une note optimiste.

---

1. ***Un plan-séquence*** : une scène filmée en un seul plan, restituée telle quelle dans le film, sans coupes ou autres plans intercalés au montage.

Mise en page par
Pixellence/Meta-systems
59100 Roubaix